MOLETOM

Julio Azevedo

Julio Azevedo

GLOBO Alt

Editora responsável: **Sarah Czapski Simoni**
Editora assistente: **Veronica Armiliato Gonzalez**
Capa: **Julio Azevedo e Gisele Baptista de Oliveira**
Diagramação: **Marco Souza**
Revisão: **Tomoe Moroizumi e Jane Pessoa**

Texto fixado conforme as regras do Acordo Ortográfico da Língua Portuguesa (Decreto Legislativo nº 54, de 1995).

CIP-BRASIL. CATALOGAÇÃO NA PUBLICAÇÃO
SINDICATO NACIONAL DOS EDITORES DE LIVROS, RJ

A899m

    Azevedo, Julio
    Moletom / Texto e ilustração Julio Azevedo.
    1. ed. - São Paulo : GloboAlt, 2017.
    168 p. : il. ; 21 cm.

    ISBN 978-85-250-6337-3
    1. Ficção infantojuvenil brasileira. I. Azevedo, Julio. II. Título.

17-43727
                                 CDD: 028.5
                                 CDU: 087.5

1ª edição, 2017

Direitos de edição em língua portuguesa para o Brasil adquiridos por Editora Globo S.A.
Av. Nove de Julho, 5.229 — 01407-200 — São Paulo-SP
www.globolivros.com.br

Eu tive que aprender a ser resistente antes mesmo de saber o que era a dor. Não para mim mesmo, e sim porque sei que tenho um propósito aqui. Porque sei o quão longe fui e o quão longe ainda hei de ir. Porque sei que alguém por aí precisa ler isto para entender o fato de sermos seres únicos e complexos.

Se você for essa pessoa, saiba que isto é para você.

prólogo

Já parou para pensar que os sentimentos que nutrimos por alguém são como as ondas do mar?

Assim como o amor, elas surgem, crescem, pegam impulso e, ao longo do tempo, vão perdendo força,

até o momento em que atingem seu limite e se soltam na areia

Algumas ondas são fortes e chegam até a praia,

já outras

se gastam com tanta intensidade que se perdem no meio do mar.

Às vezes eu acho que todas essas ondas, sejam elas fortes ou fracas, vão me atingir.

Aí está o problema.

De tanto observar o mar pela janela, nunca aprendi a nadar.

Meu nome é Pedro.

Vivo entre esses textos e rabiscos.

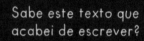

Sabe este texto que acabei de escrever?

Ele provavelmente será o ponto alto do meu dia.

Eu era a esperança
de um novo começo.
A intensidade de um
novo dia me fez verão.
Pouco a pouco, fui
perdendo minhas folhas,
temendo o frio da
próxima estação.

Rebrotar pode ser cansativo,

mas memórias de quando fui primavera

continuam me mantendo vivo.

3 de março, primeiro dia.

Dizem que quando você cai, criar forças para recomeçar é a parte mais difícil. Bem, se reconstruir, obviamente, é um trabalho árduo. Mas já parou para pensar que quando você perde tudo, você finalmente tem a chance de fazer as coisas de um jeito diferente? Encarar um recomeço não como uma perda, mas como uma oportunidade de não repetir os mesmos erros é o que vem me ajudando a seguir em frente.

Meu nome é Pedro. Estou deitado no sofá da minha tia, Marina, ouvindo-a terminar um dos seus vários discursos motivacionais. Apesar de sempre longos e cansativos, escutá-los é um lembrete de que existe alguém que se importa comigo. Marina não é uma daquelas pessoas com quem você passa despercebido na rua. Sabe essas solteironas excêntricas que vivem de bem com a vida? Ela se encaixa perfeitamente nesse estereótipo. Suas roupas sempre chamativas junto com seu tom de voz estridente são sua marca registrada, fazendo-a ser notada facilmente em qualquer lugar por onde passe. Apesar de nossas personalidades divergirem bastante, a sua companhia sempre me anima, e, no fundo, é disso que eu preciso por um tempo.

— Enfim, você pode deixar suas malas naquele quarto ao lado do meu. Não é muito espaçoso, mas eu faço de tudo para deixá-lo o mais confortável possível — ela disse enquanto me olhava do seu jeito maternal tão característico.

— Tia, não precisa se preocupar. Eu já me sinto bem o suficiente só em estar aqui — respondi, enquanto andava na direção dela, arrastando minha bagagem pela sala.

— Então, tá. Vou te deixar desfazer a mala, tomar um banho, enfim, se acomodar na casa. Caso precise de algo, não hesite em me chamar, viu?

— Sim, senhora — respondi enquanto batia continência, num tom de brincadeira.

Sabe o que eu disse sobre recomeços? Então, neste 3 de março dei início ao meu, provavelmente por já estar exausto de nunca pisar fora de casa, de passar horas deitado numa cama vendo os mesmos filmes e, constantemente, ficar imerso em pensamentos negativos.

Eu sei que já deve ser de conhecimento geral, mas vale a pena lembrar um fato importante: a vida não é um mar de rosas quando você é parte de uma minoria, e isso faz com que muitos de nós se prenda numa bolha de sentimentos negativos. Quando digo que cheguei à estaca zero e quis me reerguer, não espero que imaginem que viajei pelo mundo em busca de autoconhecimento e revelações espirituais, afinal, não havia nenhum guru para me mostrar o caminho enquanto eu vagava na rua de madrugada sem sequer saber onde dormir. O que estou falando é de ser impossibilitado de conviver com alguém por conta do que você é. É do constante e exaustivo medo de existir. Vivenciar tudo isso foi um choque de realidade que, apesar do viés negativo, me fez enxergar que eu precisava tomar um novo rumo antes de continuar no mesmo caminho e dar de cara com uma rua sem saída.

Após subir alguns lances de escada, cheguei ao quarto que me abrigaria durante todo esse período. O ambiente não era tão diferente do que eu estava acostumado: uma cama bagunçada, uma escrivaninha desgastada e prateleiras repletas de livros. *Um estudo em vermelho...* disse enquanto pegava um dos exemplares que estavam expostos. Apesar de pender mais para o lado da poesia, sempre fui fã de romances, e essa era uma obra impecável de Sir Arthur Conan Doyle. Ao lado da cama tinha uma janela pequena, onde me debrucei para observar o movimento da cidade. É estranho ver esse fluxo de pessoas e pensar que ali pode ter um novo amigo, um parente de alguma cidade desconhecida ou até um novo amor. E essa ideia, apesar de poética, sempre me assustava, o que me fez rapidamente fechar as cortinas, me prendendo de volta ao meu novo quarto temporário.

— Pedro, espero que já esteja pronto! Preparei um lanche para nós, e adianto logo que tem uma visita para você! — disse minha tia, gritando do andar de baixo, despertando-me dos meus pensamentos.

Uma visita? Aqui?, sussurrei para mim mesmo enquanto vestia uma roupa mais confortável e descia as escadas.

Imagine uma mistura entre Ramona Flowers e Daria Morgendorffer, essa era a minha prima Amanda. Nós éramos muito próximos quando crianças, mas com o divórcio da minha tia e minha mudança para outro estado, perdemos uma boa parte do nosso contato. Seu cabelo que antes era longo e castanho, agora mostrava indícios de ter sido tingido de várias cores. Seu característico vestido rosa com bolinhas foi substituído por uma jaqueta jeans repleta de *patches* de alienígenas.

— Amanda! — eu disse, indo em sua direção para abraçá-la.

— Oi, oi — ela respondeu do jeito mais blasé possível.

— Ok, pode ir largando essa personalidade áspera porque eu te conheço bem e sei que ela não combina com você.

— Dei uma risada, e Amanda, revirando os olhos, me puxou para um abraço mais apertado.

— É a vida adulta chegando, Pedro! — respondeu minha tia, rindo de toda a situação enquanto chegava com uma travessa repleta de sanduíches.

— E aí, como é que você tá? Quase não tive mais notícias suas faz uns... três anos? — perguntei enquanto dava uma pequena mordida no lanche.

— Bem, eu tô perto de terminar minha faculdade de jornalismo. Faço um bico de atendente de telemarketing para ajudar nas despesas, já que decidi morar sozinha num flat aqui perto. Sempre fui meio paranoica com independência, né? Paranoias de uma aquariana — ela disse em meio a uma risada. — Enfim... Eu soube por cima sobre o que aconteceu contigo e só quero que saiba que pode contar comigo pra tudo, tá?

— Eu já me sinto bem, principalmente por ter matado essa saudade de te ver — respondi enquanto recebia outro abraço dela. E saber que eu também teria o apoio de uma pessoa tão importante para mim como a Amanda me deixava muito mais confortável.

Após ela se despedir de nós, decidi voltar para o meu quarto, então peguei meus fones de ouvido e me joguei na cama, um ritual quase sagrado para mim. Eu ainda sentia cada músculo doendo por conta da viagem. Os acordes de guitarra imergiam cada vez mais nos meus pensamentos, e o cansaço facilitava todo esse processo de relaxamento.

Limb by limb and tooth by tooth
Tearing up inside of me.

O fato de todos esses pensamentos ainda estarem desconexos na minha cabeça me deixava extremamente incomodado. Mas agora eu estava bem. Um novo lugar. Novas pessoas. Eu preciso me fazer acreditar que agora estou bem.

Every day every hour
I wish that I... was bullet proof.

O que você faria num momento de coragem insana?

O que você faria para lembrar de que está vivo?

Eu cresci e vi que não era igual a todos.

Por isso, tive que mudar quando me

ensinaram a ter medo de mim mesmo.

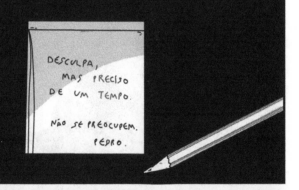

DESCULPA, MAS PRECISO DE UM TEMPO.

NÃO SE PREOCUPEM.

PEDRO.

Mas tudo isso mudou quando percebi que nada mudaria enquanto eu não aceitasse que sou minha própria válvula de escape.

Então, me
enchi de
coragem e
percebi que
eu merecia
estar vivo.

Eu não tinha
outra opção.

Aquelas paredes
me sufocavam

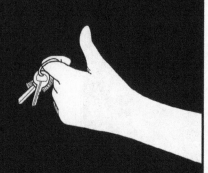

e eu precisava respirar.

O que você faria num momento de coragem insana?

4 de março, segundo dia.

Acordei ofegante depois dessa noite de sono conturbada. As memórias, que ainda eram frequentes, estavam virando pesadelos constantes.

Tudo o que eu queria naquele momento era me afundar naquele colchão e hibernar durante meses, vendo os meus problemas se resolverem automaticamente. Mas olhei para o relógio e vi que já estava quase na hora do almoço, o que me fez pular da cama e me arrumar o mais rápido possível, afinal, eu não podia evitar o fato de que ainda tinha um longo dia pela frente.

— Olha quem finalmente acordou! — disse minha tia quando me viu descendo a escada tão rápido que quase tropecei em meus próprios passos.

— Olha, por mim eu ainda dormia ainda mais! — respondi, pegando qualquer coisa comestível que tinha na geladeira.

— Pera, você não vai almoçar, não? Hoje tem macarronada, e sei que é uma das tuas comidas favoritas!

— Deixa um pouco pra mim que mais tarde eu como, juro! — respondi já calçando o tênis no sofá da sala. — Preciso correr para resolver minhas coisas, desculpa!

Dei um beijo em sua bochecha, peguei minha mochila e, apesar do cheiro da comida estar extremamente convidativo, saí o mais rápido que pude, me guiando por um endereço que anotei em um pedacinho de papel.

Ainda não tinha caído a ficha, mas tudo já havia começado.

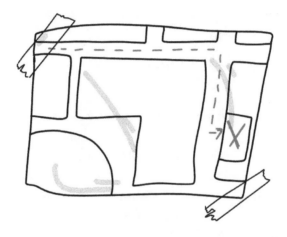

Sempre que me perguntam desde quando escrevo, respondo que não sei. Aliás, não tenho nenhuma memória minha de quando criança que não envolvesse contos de fadas e personagens mágicos, e esse hábito se traduziu para um dos pontos principais da minha atual personalidade: a paixão pela escrita e o costume de usá-la para colocar para fora qualquer tipo de sentimento.

Ultimamente venho escrevendo um livro em quadrinhos. É a história de um jovem que é apaixonado por uma garota, mas só consegue vê-la e conversar com ela através dos seus sonhos, e, munido de um tigre mágico, ele consegue viajar entre as dimensões para conhecê-la pessoalmente. Essa história, que começou apenas como uma ideia boba, se tornou um projeto muito importante para mim e, acima de tudo, uma válvula de escape do mundo real.

Será que é nesta rua?, pensei, enquanto lia o mapa que desenhei rapidamente com as instruções que Amanda me deu. O destino indicado era uma pequena gráfica, onde eu digitalizaria e copiaria alguns rascunhos que havia feito. Chegando à rua, a fachada chamativa não deixava dúvida de que ali era o local certo.

Saindo de lá com uma pilha de papéis e a sensação de tudo resolvido, minha única direção possível era o caminho de casa. Via parques pela cidade, trilhas que provavelmente deveriam levar a praias maravilhosas, mas eu tinha a sensação de que antes precisava me acostumar com esse sentimento de estar sozinho num lugar novo para daí então conseguir conhecê-lo pouco a pouco.

Enquanto andava pela rua e observava o resultado do que tinha sido impresso, uma sensação úmida e gelada na minha pele despertou a minha atenção: era uma gota de água caindo no meu rosto. Olhei para o céu e vi que pequenas nuvens cinza se aglomeravam ao meu redor, então rapidamente abri minha bolsa para pegar uma sombrinha. Procurei-a por alguns minutos até perceber que, pelo sol forte e céu aberto de horas atrás, eu provavelmente a devia ter ignorado e esquecido em alguma mala. *Bem, deve ser apenas um chuvisco rápido,* pensei, já que esta cidade era conhecida por seu clima ameno e por várias chuvinhas ao longo da semana. Mas aquele pingo veio acompanhado de outro, e de outro, e de outro. Até que percebi que realmente iria chover e eu perderia todos os meus papéis. O desespero de ter que recomeçar tudo aquilo fez um frio subir em minha espinha.

Procurei um local mais próximo para me abrigar enquanto tentava socar os papéis na minha mochila o mais rápido que eu conseguia. O primeiro que apareceu foi um edifício com aspecto colonial e repleto de samambaias em sua fachada. *Cafeteria*, diziam as letras encravadas em uma placa de madeira rústica.

Quando entrei na cafeteria, já estava um pouco encharcado por conta da chuva, porém consegui salvar os papéis antes da água danificá-los. Respirei fundo e sentei em frente a um longo balcão de madeira onde os garçons estavam, e, talvez pelo estresse, tudo o que consegui dizer foi um curto e grosso: *Moço, me dá um café*. Depois que fui servido, minhas mãos trêmulas quase derrubaram a bebida.

Sorvendo rapidamente as últimas gotas, num gesto automático estendi o braço para o atendente, já com aquele olhar exausto que dispensava um pedido verbal por mais café. Esse ciclo vicioso foi se repetindo, até que na terceira ou quarta xícara ele finalmente quebrou o silêncio para perguntar se estava tudo bem comigo, e foi aí que acordei e parei para analisar o ambiente ao meu redor: duas moças cochichando e olhando em minha direção, provavelmente falando sobre minhas roupas ensopadas; pegadas de lama em todo o azulejo; o aroma de madeira molhada vindo do banco em que eu estava sentado.

— Moço... é que você entrou muito rápido, e eu não queria me intrometer, mas acho que você tá a ponto de ter alguma overdose de cafeína, então você quer mesmo que eu encha essa xícara?

Eu estava tão envergonhado que não conseguia nem manter o contato visual.

— Meu nome é Lucas — ele disse, estendendo a mão. — Qual o seu?

— Meu nome é Pedro, prazer — respondi enquanto tentava processar tudo o que tinha feito durante esses trinta minutos. As mãos dele estavam quentes por estarem operando a máquina de café, e isso era estranhamente agradável em meio ao frio causado pela chuva.

Depois de me investigar minuciosamente, ele quebrou o silêncio constrangedor pela segunda vez.

— Você escreve? Você tem cara de escritor.

— Olha, eu... eu escrevo algumas coisas, mas não me considero mesmo um escritor... E o que te fez supor que sou um? — perguntei, assustado, afinal, não era um palpite muito comum.

— Bem, foi difícil não prestar atenção em você enfiando rapidamente todos aqueles papéis nessa mochila antes que a chuva os levasse, e também conheço de longe essas mãos manchadas de tinta de caneta.

Após todo esse clima estranho, um sorriso brotou em meio aquele rosto recoberto por uma barba falha. Os olhos dele correspondiam à sua natureza: um olhar de criança curiosa.

Quando ele se preparava para encher mais uma xícara de café, balancei minha cabeça negativamente enquanto me levantava do banco.

— Acho que já está bom por hoje, afinal, preciso dormir, e essa quantidade toda de café foi o suficiente para tirar meu sono por uns dois meses.

Ao ver pela janela que a chuva já tinha praticamente parado e que seus únicos resquícios eram as poças d'água no meio do asfalto, depositei algumas notas sobre o balcão para pagar pelo que tinha consumido e fui me dirigindo para a saída.

— Obrigado pelos cafés! — eu disse, acenando para o garçom que havia me atendido.

— Volte mais vezes! Mais uns cinco dias desses e já lucro minha renda anual — ele disse, acenando e esboçando um riso tímido.

Ao chegar à casa da minha tia e finalmente me livrar daquelas roupas fedendo a lama, fiz a retrospectiva mental de tudo o que tinha acontecido naquela tarde. *Lucas...*, pensei em voz alta enquanto ria da tamanha vergonha por que passei.

Bem, agora é hora de avaliar o estrago nos meus manuscritos, espero que dê para recuperar alguma coisa, pensei enquanto procurava minha mochila. E procurei. Procurei de novo. E só depois de revirar a casa inteira é que percebi que saí de lá com tanta pressa e tão desnorteado que esqueci aquela bendita mochila na cafeteria, junto com minha dignidade, claro.

5 de março, terceiro dia.

Quando acordei, nem pensei em tomar café da manhã (essas correrias ao acordar já haviam se tornado um hábito): corri para o chuveiro, vesti qualquer roupa que achei na minha frente e, quando estava abrindo a porta para sair, dei de cara com a Amanda.

— Você saindo cedo... Qual é a ocasião especial de hoje? — ela disse enquanto mexia em sua bolsa, procurando por alguma coisa.

Respondi com uma risada sarcástica enquanto revirava os olhos.

— Esqueci minha mochila naquela cafeteria aqui perto de casa e preciso ir buscá-la porque vários dos meus manuscritos estão lá dentro... E você, o que está fazendo aqui tão cedo?

— Estou reformando algumas coisinhas no meu apartamento, então você vai me ver aqui com frequência — ela respondeu, pegando um batom de um tom vermelho-escuro e passando nos lábios. — E essa cafeteria não é aquela que tem uns vasos com samambaias na frente? Ela fica uma rua antes do meu trabalho, eu posso te acompanhar até lá, mas não vou sair agora de casa.

— Então vou sozinho, não tem problema. Preciso passar lá o mais rápido possível, tenho muita coisa para resolver e minha vida tá naquela mochila. Mas a gente pode ir junto qualquer dia desses.

Ela deu de ombros enquanto se admirava e posava em frente ao espelho da sala.

Chegando à cafeteria, a primeira coisa que noto é Lucas, me encarando exatamente com aquele mesmo olhar intrigado da noite anterior.

— Você saiu com tanta pressa daqui ontem que acabou esquecendo sua mochila.

— Acho que esqueci minha mochila aqui ontem, você tem como ver se ficou aqui mesmo?

Nossas duas falas se sobrepuseram de forma que ninguém entendeu o que o outro quis dizer. Depois de rir de toda essa situação engraçada, ele vasculhou os armários e me entregou a mochila que eu tinha deixado lá.

— Obrigado, você acabou de salvar minha vida — eu disse enquanto, dessa vez, tentava mostrar uma imagem mais simpática (e menos surtada). — Enfim, vou indo. Tenho que correr pra terminar estes textos. Até dep...

Enquanto terminava de organizar minhas coisas para sair, senti dedos quentes e firmes segurarem o meu pulso de uma forma tão delicada que um pequeno arrepio subiu pelo meu braço.

— Você vai sair sem antes tomar um café?

Era o Lucas estranhamente me pedindo para ficar, como se já fôssemos velhos amigos.

— Eu... eu realmente tenho que ir agora. Posso voltar amanhã?

— Só se você prometer. E venha com mais calma, hein? Quero saber mais desse teu livro — ele respondeu, me dando um abraço rápido e tapinhas nas costas.

Repetindo o mesmo ritual de despedida do dia anterior, com direito a mesma troca de sorrisos, deixei aquela cafeteria e, dessa vez, estranhamente mais tranquilo.

Depois de chegar à casa da minha tia, joguei minha mochila numa poltrona e deitei no sofá, comendo alguns biscoitos que peguei rapidamente na cozinha.

Minha tia tinha uma dessas cômodas enormes e cheias de fotos de várias pessoas da família. Nela eu vi fotos minhas com a Amanda vestidos de caubóis e até uma foto dela quando decidiu fazer uma viagem para o exterior. Porém, uma dentre todas chamou mais a minha atenção.

Uma minha, ainda pequeno, com meus pais me abraçando.

Desbloqueei meu celular e olhei rapidamente para o relógio no visor.

Nenhuma mensagem.

Nenhuma ligação perdida.

Encarei-o até a tela voltar a ficar escura e me ver refletido nela.

9 de março, sétimo dia.

— **Você gosta de azeitonas?** — Lucas me perguntou, enxugando suas mãos em um dos panos de prato em cima do balcão.

— Você pode me julgar à vontade, mas eu detesto — respondi, tomando um gole da minha xícara de café.

A cafeteria estava mais vazia do que de costume naquela manhã que tinha tudo para ser igual a qualquer outra, porém a ansiedade de estar ali ainda era algo que martelava o meu peito incessantemente. Todas as manhãs eu acompanhava a Amanda no seu caminho para o trabalho e aproveitava para dar uma parada na cafeteria e conversar com o Lucas, que em tão pouco tempo se mostrou um excelente amigo. Nessas conversas falávamos de assuntos que iam da nossa ordem favorita de assistir aos filmes de *Star Wars* até teorias sobre se o homem realmente tinha pisado na Lua. Depois de passar tanto tempo me sentindo só, tê-lo conhecido foi como uma pequena conquista.

— Não tem problema se você não gosta de azeitona — ele disse, dando uma risada. — Eu também odeio. Na verdade, só quis saber disso porque me lembrei de uma coisa.

— O quê? — perguntei, curioso.

Ele olhou para os lados, como se guardasse um segredo importantíssimo, e sussurrou em meu ouvido:

— Que nunca se deve confiar em quem gosta de azeitonas.

— Pois me dá seu prato com mais azeitonas, por favor! — respondi, brincando.

Ele riu me dando um leve empurrão.

— Mas agora é sério. Eu não te perguntei antes, mas sobre o que é esse teu livro? Aquele dia foi meio conturbado e depois acabei esquecendo de tocar no assunto.

— Ah, é um livro que mistura fantasia e romance. O nome é *Mecânica celeste*. É sobre um menino que é apaixonado por uma garota chamada Luana. Ele envolve tigres voadores, enfim, é uma viagem meio sem sentido, mas quando você ler, vai entender tudo, prometo!

— Bem, você quer que eu leia? Eu sempre tenho um tempinho livre antes do expediente. Mas só se você não achar chato, claro — ele disse, parando o que estava fazendo para focar na nossa conversa.

— Ah, que nada, claro que eu acharia maravilhoso!

— E, bem, agora você sabe que pode confiar em mim. Fizemos o juramento de confiança do clube de ódio às azeitonas.

Ri enquanto confirmava com a cabeça.

— Ok, vou confiar em você. Mas só por causa disso.

10 de março, oitavo dia.

Acordei engasgado com todas as borboletas que se reviravam em meu estômago. *Não é nada de mais. Não é nada de mais. Não é nada de mais,* eu repetia essa frase incessantemente, como uma espécie de mantra pessoal.

Ao terminar de me arrumar e colocar o notebook dentro da mochila, minha tia veio avisar que a Amanda já estava na porta, me esperando para sairmos, o que não me deu tempo nem para ter um pequeno surto de nervosismo antes de ir me encontrar com o Lucas.

— Obrigado por me fazer companhia — eu disse, após alguns minutos silenciosos de caminhada.

— Que nada, não é como se eu fizesse algum esforço, já que ela fica no caminho para o meu trabalho. Inclusive, sempre parava lá para tomar café nos dias estressantes, ou seja, eu aparecia lá com bastante frequência — ela respondeu enquanto vasculhava sua bolsa em busca do seu batom vermelho característico. — E o que você tem que fazer lá tão cedo?

— Ah, eu fiz um amigo lá, o Lucas. Conheci-o num dia meio, como posso dizer... *confuso*. Mas, enfim, ele me chamou para ir lá hoje, para conversarmos um pouco e ele dar algumas opiniões sobre meu livro.

Deixei escapar um sorriso tímido ao falar dele, e isso foi o bastante para a Amanda entender tudo o que eu estava guardando só para mim.

— Lucas? Um de cabelo ondulado? Estudei com ele durante o ensino médio. Ele é um amor de pessoa. E... pode abrir o jogo. Você quer dar uns beijos nele, não é? — disse Amanda, sussurrando em meu ouvido.

— Eu? Eu não! É que... — Minhas bochechas ficaram tão coradas que meu rosto parecia um camarão gigante. — Tá. Talvez eu queira.

Mas só um pouquinho.

— Não precisa justificar nada para mim, ele é maravilhoso e ponto. Bem, a gente podia marcar de sair amanhã, e eu serviria como uma amiga em comum dos dois, assim vocês têm uma válvula de escape, caso as coisas fiquem desconfortáveis.

Esse momento estava sendo, no mínimo, um dos mais bizarros da minha vida. Nunca me imaginei conversando com ninguém sobre minha vida amorosa, muito menos com ela... Ainda mais envolvendo meninos!

— Mas eu nem sei se ele gosta de beijar meninos, se é que você me entende. — Dei de ombros.

— Primeiro, você não vai saber enquanto não perguntar. E segundo, você ainda nem conversou com ele e já está se autossabotando! Não faz isso contigo ou eu te dou um beliscão aqui mesmo.

Respondi com uma risada. Acho que já aceitei toda a normalidade que essa conversa com a Amanda deveria ter. A cafeteria estava a alguns metros, e isso nos fez ir desacelerando nossos passos.

— Tenta não ferrar com tudo, tá? Se desmaiar de nervosismo ou ele chamar a polícia, me manda uma mensagem — ela disse, arrumando meu cabelo com a mão.

— Então fica com o celular perto, porque não posso garantir nada!

Depois de entrar pelos fundos da cafeteria (o que não causou estranhamento em nenhum funcionário, já que eu tinha me tornado quase um artigo de decoração de lá), fui para a despensa, que é onde eles se reúnem antes de iniciar o expediente, e lá encontrei o Lucas tirando seu uniforme de dentro da mochila.

— Ué, você veio mesmo! — ele disse enquanto esboçava um misto de alegria e surpresa.

Ri, acenando com a cabeça enquanto tentava disfarçar meu nervosismo.

— Ei, antes de começarmos a ler, sei que isso pode soar bizarro, mas sabia que esta noite eu sonhei contigo? — ele continuou, após guardar a mochila dentro do seu armário.

— Sério? — perguntei, curioso.

— Sério! Mas, bem, meus sonhos são bem confusos e desconexos, então não foi nada importante. Acho que éramos astronautas combatendo uma invasão de uma raça superior... Enfim, vamos deixar os ETs de lado e focar nos tigres mágicos voadores! — ele disse, dando uma risada.

Depois de afastar tudo de cima de um dos balcões, peguei meu notebook para lermos alguns trechos do meu livro.

— Tá vendo esta parte aqui? Não sei o que você achou, mas não tá me soando natural... sei lá.

Ele comentava enquanto eu pegava um banquinho para sentar ao seu lado. Mesmo com o meu livro sendo tema principal da nossa conversa, eu só conseguia pensar que, naquele momento, finalmente, não estávamos dividi-dos por um balcão. Na verdade, acho que nunca estivemos tão próximos um do outro, e isso embrulhava ainda mais o meu estômago.

— Você já pensou em mudar os parágrafos anteriores? Talvez se trocar algumas coisas possa fazer com que a história flua melhor — ele disse enquanto gesticulava imerso em suas ideias.

O brilho no olhar dele ao falar de algo de que gosta é uma memória que quero guardar pra sempre comigo.

— Enfim, acho que só precisa dessas correções, mas é coisa mínima. Sinto-me parte da criação de um best-seller!

— Não infla meu ego assim, poxa. Eu é que devia estar te elogiando por ter tirado esse tempo pra me ajudar. E... enfim...

— O que foi?

— É... Nada não. Depois a gente se fala, tá? E muito obrigado, de novo.

O peso nas costas que carreguei ao sair de lá foi me atormentando até a hora em que cheguei em casa, mas sei que não foi culpa minha. O medo de algo não ser recíproco é como uma pedra que prende todas as palavras que queremos dizer no fundo da garganta.

11 de março, no no dia.

— **Eu sou um babaca.** O que custava tê-lo chamado pra sair? Era a minha chance e eu joguei tudo no lixo.

— Nossa, que inesperado isso vindo de você — disse Amanda, enquanto indiferentemente mexia no celular.

O dia de hoje não exalava o mesmo clima acolhedor de antes. Tudo parecia mais frio e sem graça, como os galhos retorcidos das árvores que apareciam em nosso caminho.

— Olha, estou frustrado demais pra aguentar esse seu humor ácido logo de manhã, então vamos mudar de assunto antes que eu me jogue de volta no fundo do poço de onde nem deveria ter saído.

Mesmo sem a mínima vontade de passar na cafeteria até para dar um oi, acompanhei Amanda até o seu trabalho, afinal, essas caminhadas se tornaram um ritual das minhas manhãs, e conversar com ela também me ajudava a pôr meus sentimentos em ordem (apesar de na maioria das vezes eu ter a impressão de que estava falando com uma pedra).

Enquanto conversávamos, ela repentinamente parou de me acompanhar e me encarou com um uma expressão quase diabólica.

— Alô? Lucas? Aqui é a Amanda, sim, sua ex-colega do ensino médio. Olha, hoje a gente tá pensando em sair e vamos lá no Seven. Sim. Aquele clube novo. Às sete horas, tá? Tchau, beijão.

Após desligar o celular, tive que parar por um momento para tentar absorver o que tinha acabado de acontecer.

— Você está louca? — eu disse, e o som de meu grito ecoou por toda a rua. Amanda, meio assustada, porém certa de sua atitude, revidou:

— Já que você não toma nenhuma atitude, alguém tem de tomar, né?! — Ela deu de ombros depois de sua resposta repleta do seu típico tom irônico e de um sorriso de canto de boca. — Enfim, te vejo à noite.

Mais tarde, naquele dia, nos encontramos no Seven. Apesar do lugar não estar tão cheio como o usual, o nervosismo me fazia sentir como se estivesse sendo observado por todos. A música ambiente era abafada pelas conversas avulsas na nossa mesa, e eu estava muito concentrado no meu quarto copo de cerveja para prestar atenção nelas. Lucas estava um pouco distante, conversando com alguns amigos, e de vez em quando olhava em minha direção, mas desde que cheguei aqui, não trocamos nada além de um rápido cumprimento, e isso me fazia suar cada vez mais frio.

— Pedro, eu não acredito que o chamei só pra você ficar olhando pra ele — disse Amanda, ao sair da sua rodinha de ex-colegas para sentar ao meu lado. — O que mais vou ter que fazer pra você tomar coragem?

— Eu juro que dessa vez vou até lá, só preciso de mais um copo... ou de mais dez, quem sabe — respondi, frustrado com minha própria falta de iniciativa.

— Sério, eu não entendo toda essa sua fixação. O máximo de proximidade que vocês têm são conversas casuais numa cafeteria, e olha que só começaram por você frequentar religiosamente aquele lugar.

— Você tá mesmo me perguntando isso? — eu disse enquanto sorvia as últimas doses de bebida. — Você já olhou pra ele?

— Se esse for o teu argumento, estudei com ele minha vida toda, e mesmo assim não entendo o que te faz gostar tanto dele.

— Não sei, tem algo nele... — respondi enquanto tentava formular alguma justificativa em meio a pensamentos confusos. — Ele me olha de um jeito que me sinto abraçado, e eu queria ser a razão do olhar dele emanar esse sentimento de conforto... Ou sei lá.

— Não sei se você realmente tá apaixonado ou muito bêbado — ela disse, afastando o copo de mim, mesmo já estando vazio.

Ainda motivado pela pergunta da Amanda, ouvia a voz dela ecoar na minha cabeça: *Não entendo o que te faz gostar tanto dele.* E, para ser sincero, nem eu sabia. Não sei se era o jeito com que tudo se encaixava harmoniosamente em seu rosto, desde seu sorriso, com os dentes da frente meio separados, até a sua barba falha, que cobria sua face. Eu não sei como, mas todas essas contradições e pequenas falhas acabavam funcionando perfeitamente nele. *E só nele.*

Alguns minutos depois, Lucas se levantou da mesa, passou por nós e foi em direção ao banheiro, e, naquele instante, Amanda já estava me encarando fixamente, com o mesmo olhar diabólico de antes.

— Ele foi ao banheiro. Sozinho. Estou te obrigando a ir lá.

Sem me dar nem tempo para uma resposta, fui empurrado para fora da mesa. Após cambalear por alguns segundos para me recuperar do empurrão, sentia meu coração acelerar a cada passo que eu dava. Olhei pra trás e vi Amanda bebendo um copo de chope e fazendo um sinal de positivo com a mão. Eu não podia perder essa chance.

— Você deve estar achando esta festa um porre, né? — disse Lucas, enquanto lavava as mãos. — E pela sua cara... acho que também bebeu um pouco.

— Me dá um desconto, eu tive que me distrair. É meio chato quando você não conhece ninguém.

— Ah... É verdade.

...

O silêncio tomou conta do ambiente. Entreolhávamo-nos e víamos *desconforto* tatuado em nossa testa.

— Enfim, vou voltar pra...

— Lucas.

Falei em meio a um súbito ataque de coragem. Ao ouvir minha voz, ele recuou.

— O que foi?

— Eu queria... queria te chamar pra sair.

— Ah... Por mim, tudo bem.

— Acho que você não entendeu. Estou falando de um encontro mesmo.

Novamente o silêncio reinou entre nós. Depois de poucos segundos que passaram como uma eternidade, ele quebrou o clima pesado.

— Olha, por que você não passa na cafeteria qualquer dia desses e a gente conversa melhor? Você tá meio bêbado e não acho que seja uma boa hora — ele disse, dando tapinhas no meu ombro. — Agora eu tenho que ir, tá?

Ao voltar para a mesa, inundado pelo sentimento de vergonha, encontrei o Lucas se despedindo dos amigos. "Desculpa, Amanda, já tá tarde e eu não estou me sentindo muito bem... A gente se fala direito depois." Nessas trocas de abraços de despedida, ele me olhou diretamente nos olhos e foi embora sem ao menos me dar um "tchau".

— Suponho que as coisas não saíram como você planejava — Amanda disse, passando a mão na minha cabeça, que estava deitada sobre a mesa.

— Ele me disse pra passar depois na cafeteria, que lá a gente conversa melhor. Ou seja, levei um fora.

— É... pode ter sido um fora. Mas não vamos descartar a hipótese de que ele só queria conversar melhor em outro local e em outro horário.

Ela tentou me consolar, mas eu já estava decidido: depois de hoje eu não voltaria naquele café, nem que fosse debaixo de outra chuva forte. Eu simplesmente queria apagar essa noite da memória. (Acho que nunca quis tanto viver dentro do mundo de *Brilho eterno de uma mente sem lembranças*.)

12 de março, décimo dia.

Eu não sabia qual ressaca fazia minha cabeça doer mais: a alcoólica ou a moral. Eu lentamente abri as cortinas, cobrindo meus olhos dos raios solares que entravam no meu quarto. O celular, jogado em cima da cama, mostrava que eu tinha sete mensagens não lidas da Amanda, mas no momento me sentia muito indisposto para dar qualquer resposta sobre meu bem-estar.

— A Amanda está vindo aqui. Ela perguntou por que você não a acompanhou hoje mais cedo — disse minha tia ao me entregar uma xícara de chá mate.

— Acordei meio mal, mas não é nada de mais. Vou conversar com ela e avisar que estou bem — eu disse enquanto assoprava a bebida ainda quente.

Na verdade, eu só estava me sentindo mal comigo mesmo por ser incrivelmente estúpido.

Mesmo estando de costas para a porta, percebi que Amanda tinha chegado ao meu quarto, por dois motivos: primeiro, seu perfume característico de laranja e, segundo, a quantidade absurda de barulho.

— Estou ocupado escrevendo, o que foi? — disse, afastando-a, enquanto ela me abraçava por trás.

— Passei hoje na cafeteria e falei com o Lucas, e só quero te dizer que não precisa se preocupar, que seu casamento com ele ainda está garantido.

— O QUE FOI QUE VOCÊ FALOU PRA ELE? — perguntei, agora fazendo mais tumulto do que ela quando chegou ao meu quarto, além de praticamente cuspir todo o meu chá.

—Ah, nada de mais — ela disse, com seu tom sarcástico de sempre. — Mas só acho que você precisa treinar melhor sua leitura de expressões, porque pressinto que aquilo não foi um fora.

Ao dizer isso, ela tirou um pequeno pedaço de papel amassado de sua bolsa e me entregou, com chamas nos olhos.

ESPERO QUE NOSSA
CONVERSA NÃO
TENHA FICADO PRA
LÁ.
APARECE AMANHÃ NA CAFE-
TERIA. (DEPOIS DO MEU
EXPEDIENTE!)
                    —L.

— Será que é tão difícil ser direto e dizer se vai ou não me dar um pé na bunda? — eu disse, enfiando minha cabeça com raiva no travesseiro. — Eu te amo, merda.

— Agora que eu te dei a motivação de que você precisava, vou indo. E se você não aparecer amanhã, saiba que é a última vez que vou dar bola pra esse seu drama, tá me ouvindo?

— Tá bom, tá bom.

Eu apertava aquele pedaço de guardanapo contra minha mão como se quisesse absorver os sentimentos dele ao escrevê-lo.

Tentei, tentei e tentei voltar minha concentração para o livro, mas aquelas dezessete palavras naquele guardanapo conseguiram bagunçar de vez com meu dia (e meu coração). Coloquei meu fone de ouvido e a música que tocava não podia ser mais adequada para o momento:

Por que você faz assim comigo?
Parece querer me machucar.
Por que você olha assim pra mim?
Não vê que eu preciso descansar?

13 de março, décimo primeiro dia.

São 18h30. A ansiedade e o nervosismo tomavam conta de mim, como mãos invisíveis que puxavam meus pés a cada passo que eu dava em direção à cafeteria, até que depois de algum tempo de caminhada, de longe, eu já conseguia enxergar o Lucas, conversando com seus amigos.

Não estraga tudo novamente, por favor, eu dizia a mim mesmo. Era doloroso saber que logo eu iria embora desta cidade e que minhas chances com ele estavam escorrendo por entre meus dedos, e tudo isso por culpa minha.

— Oi — tentei dizer algo mais elaborado, mas milhões de sentimentos se reviravam na minha cabeça, e essa acabou sendo a frase mais elaborada que consegui pronunciar.

— Eu já estava achando que ia levar um bolo — ele respondeu enquanto dava o mesmo sorriso tímido de sempre. — Enfim, acho que é melhor a gente conversar em um local mais calmo... Tem um parque aqui perto, se você quiser, a gente pode ir lá.

— Ah, por mim tudo bem. Garanto que você conhece a cidade bem melhor que eu — respondi, agora já mais tranquilo. Sabe o sentimento de conforto que eu disse que ele me fazia sentir? *Touché.*

— O que é esse símbolo na tua camisa?

Ele disse enquanto caminhávamos em direção ao parque. A cidade estava tão tranquila que só se ouviam as nossas respirações, acompanhadas do ruído dos sapatos a cada passo que dávamos.

—Ah, isso? É o símbolo da minha banda favorita, Radiohead. Esta camisa é meio bizarra, eu sei, mas sinto que ela me dá sorte, então sempre gosto de usá-la.

— Pelo jeito alguém aqui ou é bastante supersticioso ou levemente paranoico — ele disse, dando risadas.

Depois de um curto momento de silêncio, decidi abrir logo o jogo.

— Então, sobre aquela noite...

Só de lembrar aquele vexame eu já sentia todo o desconforto voltando a me assombrar.

— Antes de você começar, adianto uma coisa: desculpa se eu fiz você se sentir mal, só não queria dar a impressão de que quis me aproveitar do fato de você estar bêbado.

As bochechas rosadas dele confirmavam que ele estava tão envergonhado quanto eu.

— É que... sei lá, eu tive medo de você ficar com raiva, ou algo do tipo.

Nós dois olhávamos para pontos distintos, desviando ao máximo para que nossos olhares não se encontrassem.

— E você imaginou que eu fosse reagir como? Fazendo um discurso sobre como isso seria inapropriado por sermos amigos? Além disso, olha pra mim. Você consegue mesmo me imaginar com raiva só por ser chamado para sair?

Ao dizer isso, ele parou de caminhar e começamos a conversar frente a frente.

— Então... desculpa por aquele dia, tá? Eu devia ter feito aquilo em outro horário, em outro lugar e com outro nível de sobriedade — respondi, ainda não conseguindo manter contato visual.

— Se você ainda está se sentindo culpado por isso, então eu te perdoo. Mesmo já tendo dito que não me senti ofendido e muito menos chateado — ele disse, voltando a caminhar num ritmo mais acelerado e, consequentemente, me deixando para trás.

— Bem... Agora é a hora certa? — ele parou imediatamente de andar ao ouvir essas palavras. — Se eu te chamasse agora, o que você me diria?

— Provavelmente eu te faria uma pergunta.

— E você só vai me dizer qual é caso eu pergunte aquilo de novo, certo?

— Sou todo ouvidos — ele disse, virando para mim e me encarando de braços cruzados.

— Ultimamente minha vida vem sendo um caos, mas aqui nesta cidade, principalmente nos dias em que você me fez companhia, tudo pareceu mais sereno. Sei que daqui a pouco tempo vou embora e não passarei de uma coisa temporária, mas mesmo assim não quero jogar essa chance fora, então você quer sair comigo? — eu disse, desafogando todos os sentimentos que estavam presos havia muito tempo na minha garganta. — Desculpa se isso saiu mais profundo e extenso do que previ. Eu já devia ter parado de falar, mas é que...

— Se eu te disser que aceito o convite, você cala a boca?

Agora, depois de um bom tempo, finalmente estávamos nos encarando olho a olho.

— Não garanto nada, mas posso tentar — respondi, dando um sorriso tímido. — E o que é que você ia me perguntar depois disso?

— Quer que este seja nosso primeiro encontro?

Depois de alguns minutos de caminhada, finalmente chegamos ao parque, e lá sentamos em um dos balanços espalhados pelo local. O clima ameno junto com o céu pintado por inúmeras estrelas criavam um clima aconchegante, como se estivéssemos envoltos por um grande cobertor. As árvores sussurravam pequenos poemas quando o vento passava por entre suas folhas, e Lucas admirava tudo isso como se estivesse observando alguma pintura no Louvre.

— Então... Você ainda não me contou como veio parar aqui — ele disse enquanto se balançava lentamente. Naquela hora, parecíamos duas crianças.

— Ah, é uma longa história. Aquilo do menino com problemas em casa e que vem passar um tempo longe de tudo pra ver se não surta.

— Conheço bem essa história. Uns até descontam seus problemas em café. Nada contra, sempre saio no lucro com esses.

Rimos enquanto eu o empurrava pra longe. Era gostoso ouvir nossas risadas ecoando pelo parque, que surpreendentemente estava vazio. Nem as famílias que iam lá para passear com seus cachorros nem as crianças barulhentas deram as caras naquela noite, e isso me fazia sentir como se aquele momento fosse só nosso.

Depois de sair dos balanços, nos deitamos num gramado próximo para aproveitar a vista do céu. Seu rosto estava tão perto do meu que eu sentia as batidas do meu coração acelerarem.

— Será que, quando voltar pra casa, você vai encher o saco de outro balconista de cafeteria?

— Acho que não. Não são todos que tem tanta paciência. Aliás, você é pisciano, não tá fazendo mais que sua obrigação.

Ele corou quando eu disse isso.

— É engraçado, porque é verdade.

— Quer saber? Espero que eu faça amizade com algum de lá. Pelo que eu me lembre, eles não são tão prepotentes assim.

— Também não me lembro dos meus clientes se irritarem tão facilmente — ele disse enquanto me abraçava de lado. — Ei, Pedro.

— O que foi? — perguntei, virando o rosto para olhá-lo de perto.

— Você já ouviu falar na palavra *kaukokaipuu*?

Confessei que mesmo trabalhando com palavras e sendo um velho amigo delas, nunca tinha ouvido essa antes. Voltando a olhar para o céu acima de nós, ele respondeu:

— Bem, é um sentimento complexo. Na verdade, é uma palavra finlandesa que nem tem tradução para o português. É tipo quando você sente falta de um lugar que nunca visitou. *Kaukokaipuu* é tipo aquela sensação de ser um velho amigo de alguém que você acabou de conhecer. Pode parecer bizarro, mas é assim que eu me sinto em relação a você. Como se a gente já se conhecesse há muito tempo, mas só agora nos encontramos.

E ali, naquele momento, não precisei dar nenhuma resposta.

Olhamo-nos fixamente por alguns segundos.

Nossos rostos se aproximaram, se encaixando perfeitamente um no outro.

Eu sentia todas as estrelas do céu dentro de mim.

Mesmo sendo um beijo suave, ainda era perceptível certo tom de intensidade nisso tudo, e isso dizia muita coisa sobre ele.

Eu não precisei dar nenhuma resposta.

Ele entendeu o que eu quis dizer também.

p.s: aquele "eu te amo"
foi tão sincero que nem
precisou de palavras
pra ser dito.

14 de março, décimo segundo dia.

Mesmo já tendo acordado havia trinta minutos, meu corpo ainda estava paralisado pelo que tinha acontecido na noite anterior, numa tentativa de processar tudo e assimilar o fato de que aquilo foi real.

Eu ainda sentia a respiração quente do Lucas em meu rosto, e suas mãos macias e firmes entre meu cabelo e nuca. Com todas essas lembranças ainda nítidas, deslizava minhas mãos pelo meu corpo e por dentro de minha roupa como se fossem as dele. Ofegava a cada minuto que se passava, imerso no calor do momento e das memórias da noite anterior.

Depois de me vestir para tomar café da manhã, encarei a tela desligada do meu celular e surgiu aquela dúvida de sempre: *Será que eu mando uma mensagem? E o que eu digo?*

Olhei as horas no visor e não tinha nada. Nenhuma notificação. Mesmo com medo, ainda decidi seguir os meus instintos e mandar um "Oi". Só para dizer que eu estava aqui.

Só para dizer que eu ainda queria que ele conversasse comigo.

Trinta minutos se passaram e nenhuma resposta. A ansiedade começava a permear minha cabeça com seus pensamentos destrutivos. *Ele não quer você. Ele não quer você. Ele não quer você.*

Eu sabia que alguma hora as coisas terminariam assim.

— Pedro, você pode vir aqui embaixo, por favor? — gritou minha tia para que eu ouvisse seu recado do andar de cima.

Vesti uma camisa que estava jogada em minha cama e desci as escadas, até que me deparo com uma cena tão surreal que por alguns minutos me questionei se estava acordado. O Lucas... Na minha sala? O que ele estava fazendo aqui?

— Oi! É... Desculpa não ter avisado nada. Mas é que meu celular descarregou, então vim aqui pra saber se você estava disponível para sair. Mas só se você quiser, claro.

Naquele momento toda a minha paranoia foi por água a baixo e me arrependi de ter cogitado mil e uma histórias com finais trágicos para nós dois.

— Mas é óbvio! Tia... É... Eu vou sair agora, tá certo?

— Claro! Sem problema — ela respondeu, enquanto falava ao telefone e lia alguma revista aleatória.

Só o sorriso que ele deu ao ouvir minha resposta já fez o meu dia valer a pena.

Quando saímos, me deparei com um fusca azul quase novo na frente da minha calçada.

— Vamos? — ele disse, tirando uma chave do bolso.

— Pera. Esse carro é seu? — respondi, confuso. — Não sabia que você dirigia.

— Tem muitas coisas que você não sabe sobre mim, garoto — ele respondeu num tom de brincadeira enquanto arqueava a sobrancelha. — E não, este carro não é meu. É de um amigo meu que... Bem, na verdade, eu vim te chamar exatamente para conhecê-los. Quero que você saia daqui com memórias incríveis. — Pronto? — disse Lucas, olhando para mim após entrarmos no carro.

— Pronto — afirmei, colocando meu cinto de segurança.

Poucos segundos no carro com o Lucas foram suficientes para eu me arrepender de ter aceitado essa proposta maluca. Suas arrancadas bruscas e freadas inesperadas me arremessavam para a frente de minuto em minuto.

— As coisas estão agitadas aí? — ele disse enquanto afundava cada vez mais o pé no acelerador.

— Tem certeza de que você tem carteira de habilitação? — respondi, ofegante, me segurando com força no banco.

Ele respondeu com uma gargalhada. O som do carro tocava "Run Away with Me", da Carly Rae Jepsen, no volume máximo, e nossos cabelos se agitavam furiosamente contra o vento.

— Me desculpa, é que tô bastante ansioso. Meus amigos me pedem há dias para conhecer melhor essa pessoa misteriosa que vem rondando nosso ambiente de trabalho durante esses dias, fora que lá a gente pode ter um tempo a sós — ele disse enquanto trocava a marcha e avançava no sinal verde.

— E respondendo a sua pergunta, talvez eu tenha reprovado várias vezes. Na verdade, acho que só me deram a habilitação para eu não ir mais à autoescola.

— Você acha mesmo que vão gostar de mim?

— Olha, se eles conseguem me aturar há anos, você vai ser fichinha. Deixa de se preocupar com essas coisas, tá? — Ele abriu um sorriso acolhedor e afagou minha cabeça.

Depois de alguns quilômetros de asfalto e uma baliza aterrorizadora, chegamos a uma casa com muro baixo. As paredes com detalhes em tijolos e alguns grafites davam um aspecto moderno ao ambiente.

Fomos recebidos com abraços calorosos por um rapaz alto e com longas mechas verdes no cabelo. Um cheiro delicioso vindo da cozinha anunciava que estavam preparando um bolo.

— Este é o Pedro — disse Lucas, me apresentando agora formalmente para seus amigos.

— Como vai, Pedro? — falou uma menina vindo em minha direção enquanto tirava as luvas térmicas. Eu apenas conseguia prestar atenção no quanto seu piercing do septo estava torto. — Eu sou a Laura, e aquele ali é o Matheus.

— Tudo ótimo — respondi.

Após entrarmos na casa, nos acomodamos em um sofá com um aspecto bem retrô, assim como todos os itens com referências à cultura pop americana dos anos 1970 que decoravam o ambiente.

— E como estão sendo esses teus dias aqui? Fiquei sabendo que você é de fora — perguntou a Laura, me examinando com um olhar de curiosidade.

— Incríveis — respondeu Lucas, colocando o braço sobre meu ombro enquanto ria.

— Cala a boca, Lucas — disse a menina do piercing torto, dando um soco fraco no ombro do Lucas. — Enfim, Pedro, teus dias aqui estão sendo bons?

— Ah, apesar dos perrengues, tá sendo uma experiência maravilhosa — falei, por fim.

— Você me lembra bastante de quando o Lucas começou a trabalhar com a gente — falou Matheus, o rapaz do cabelo verde. — Ele também era assim, fechado, mas as melhores pessoas surgem na sua vida quando você menos espera pra te acolher, e aqui estamos nós três!

Lucas ria enquanto dava um abraço apertado nos dois.

— Vocês vão comer com a gente? É bolo de laranja — perguntou Laura.

— E eu tenho como recusar uma proposta dessas? — respondi, animado.

Conversamos mais um pouco e nesse tempo eles me contaram sobre toda a trajetória do Lucas junto deles, sobre momentos bizarros e engraçados, e até sobre como as folhas das árvores estão caindo à medida que o outono se aproxima, criando uma paisagem fenomenal na região. Às vezes, faziam pausas para comentar detalhes sobre a receita do bolo de laranja maravilhoso que estávamos comendo.

— Enfim, desculpa, gente, a conversa está boa, mas acho que eu preciso de um pouco de tempo a sós. Juro que é rápido — disse Lucas.

— Bem, então eu e a Laura vamos sair, e a sala é toda de vocês.

— Na verdade, eu queria levá-lo naquele quartinho dos fundos.

Laura soltou uma risada irônica. Matheus fez um sinal de negativo com a cabeça.

— Deixem isso para depois. Se quiserem, a gente pode sair da sala, e é o máximo que eu ofereço — disse Matheus num tom de reprovação.

— Ei, não coloquem palavras na minha boca! Eu só quero mostrar o quartinho, tá? — disse Lucas, indignado. — Vocês não estão pensando que...

— Então só mostre o quartinho. Mas saiba que estamos de olho. E não demorem muito porque ainda tem mais coisa no forno!

Andamos pelo corredor e chegamos num quarto com uma porta rústica de madeira. O aspecto um pouco empoeirado deixava claro que ele não era limpo por um bom tempo. Em vez de acender a lâmpada do quarto pelo interruptor, Lucas ligou um pisca-pisca na tomada, iluminando magicamente o cômodo inteiro e revelando vários cactos e bonsais espalhados pelas prateleiras.

— Não sabia que você era tão apaixonado assim por plantas — eu disse, admirando a decoração do quarto.

— Agora que você presenciou minha obsessão, não tenho pra onde correr — ele respondeu, rindo e andando até uma das prateleiras, até estender o braço para pegar algum dos vasos pequenos. Nele, tinha um minicacto com uma pequena flor rosa em cima. — Eu sempre fui encantado por essas pequenas criaturinhas. Já não tenho muito espaço no meu apartamento, então guardo alguns aqui com a Laura e o

Matheus, pois sei que eles vão cuidar muito bem deles. Pra falar a verdade, sempre tive a companhia de plantinhas desde a minha infância. Cuidar delas e vê-las crescer, mesmo que em ritmos diferentes umas das outras, é uma metáfora que sempre gostei de levar comigo, pois sei que, independente de quanto tempo demore, no final elas sempre vão florir do mesmo jeito.

Uma das coisas que eu gosto muito no Lucas é o jeito como sempre ele tira alguma metáfora das coisas, como se enxergasse o mundo de uma maneira totalmente diferente de nós. Gosto de como até seus vasinhos de planta têm algum sentido metafórico. Gosto de ver como ele se imerge no próprio universo sempre que vai externar seus sentimentos confusos. Era inevitável esboçar um sorriso toda vez que ele falava.

— Garotos? A comida está pronta! — disse uma voz masculina vinda da cozinha.

— Acho que é a nossa hora de voltar — ele disse, me encarando nos olhos por alguns segundos. Estávamos tão próximos que eu sentia a respiração lenta e morna dele passando por meu rosto.

A mão dele esbarrou na minha e nossos dedos se entrelaçaram.

Ele deu um sorriso tímido.

Numa mesa de madeira estava um prato de filé à parmegiana, algumas taças e uma garrafa de vinho. Nos acomodamos na sala enquanto algum programa sobre música brasileira passava na TV.

— Um brinde ao primeiro encontro do Lucas com a gente! — disse Laura.

— Eles crescem tão rápido, né? — completou Matheus, rindo. Lucas ficou tão vermelho que provavelmente naquela hora a única coisa que passou por sua cabeça foi procurar algum lugar para se esconder. Eu ri enquanto bebia um gole da minha taça. — E você tá ouvindo isso que tá passando na TV? É Cícero! Você se lembra de quando o Lucas tocou "Vaga-lumes cegos" num evento de música ao vivo que foi promovido lá na cafeteria? Foi uma das melhores apresentações da noite!

— Ele até vestiu uma camisa branca com um jeans antigo, isso, somado com sua cabeleira, ficou uma imitação impecável — disse Laura, deixando Lucas ainda mais envergonhado.

— E você toca violão? Você dirige, toca instrumentos... O que mais sobre você eu não sei? — perguntei, curioso.

— É, eu arranho algumas coisas que aprendi nos momentos de ócio, e, olha, achei que tínhamos vindo aqui para vocês conversarem com o Pedro, não para fazer uma sessão de fatos constrangedores sobre mim que ninguém precisa saber! — Lucas respondeu, emburrado e com as faces coradas.

O sol ia se pondo e o ambiente ia ficando mais agradável à medida que a conversa fluía. Antes de vir para cá, mil vozes me diziam que eu iria me sentir deslocado e que devia inventar alguma desculpa para não ir, e ter duvidado delas e ter vindo mesmo assim me fizeram sentir orgulho de mim mesmo. Seus amigos eram pessoas incríveis, e eu não esperava menos de alguém que era próximo ao Lucas.

— E vocês dois se conheceram como? — perguntou Laura, bebendo o pouco de vinho que restava em sua taça e já se inclinando para enchê-la novamente.

Nossos olhares se cruzaram e demos uma risada.

Eu ia falar primeiro, mas Lucas tomou a frente e começou a contar nossa história:

— Nos conhecemos uns dias atrás. Ele entrou lá na cafeteria meio desorientado e consequentemente conheceu essa pessoa maravilhosa que sou eu — ele disse, limpando a garganta num tom esnobe, e dei um soco leve no seu ombro enquanto ele ria. — E cantada para cá, cantada para lá, uma hora sabia que ele não ia resistir ao meu charme. E bem, aqui está ele, né?

Todos gargalharam. Eu corei, escondendo o rosto ao beber mais um gole da minha taça de vinho.

Após o jantar, mesmo meio embriagados, ajudamos a lavar a louça e arrumar toda a bagunça. Lucas, por também ter bebido, não podia voltar dirigindo, então me acompanhou a pé. Então nos despedimos com abraços calorosos e saímos em meio à noite silenciosa.

— Até que você se comportou direitinho. Tô orgulhoso — ele disse, cambaleando um pouco por conta do álcool.

— Eles são maravilhosos, então não foi muito difícil. — Dei um sorriso tímido.

— Acho que o que facilitou esse dia ser tão maravilhoso foi a gente ter evitado aquele assunto.

— Qual? — perguntei, pensando em algo que poderia ser citado e arruinar um dia tão prazeroso.

Ele começou a desacelerar os passos à medida que sua expressão se tornava mais e mais fechada.

— Sua ida.

Mesmo já sabendo de tudo o que viria pela frente, lembrar-me disso fez um calafrio subir pelo meu corpo. Olhei para ele e o vi cabisbaixo. Sua expressão calma, em questão de segundos, se tornou extremamente fechada.

Chegando na casa da minha tia, eu o convidei para ficar um pouco no quintal antes de encerrarmos nossa noite. Então peguei meu moletom e improvisei um travesseiro para apoiarmos nossa cabeça sobre a grama fria.

O silêncio reinava enquanto observávamos as estrelas, que, mesmo estando um pouco apagadas por conta das luzes da cidade, ainda nos davam uma vista incrivelmente bonita. Tudo estava perfeito para um momento agradável, mas o vento gelado passava por meu rosto de uma forma tão apática que me causava calafrios na espinha. Meu coração acelerava ao ver as folhas caindo mais lentamente do que o normal.

— O que houve? — perguntei, quebrando o silêncio que tomava conta da minha garganta.

— Você sabe. Eu ainda não me acostumei com a ideia de ver você indo para tão longe daqui a tão pouco tempo. E sei lá, Pedro. O tempo passa rápido demais — ele disse em meio a um suspiro profundo. Eu sentia seu coração acelerando a cada palavra. — Enfim, sei que não devia ficar pensando nessas coisas e devia aproveitar o máximo de tempo que temos juntos, mas... desculpa.

Eu me levantei lentamente, colocando meu corpo sobre o dele, para assim ver cada detalhe de seu rosto e poder olhar diretamente em seus olhos.

— Eu também queria que tudo acabasse de um jeito diferente, mas não será isso que vai nos impedir de tornar nosso final um final feliz. E sei lá, quando a gente tá assim, pertinho um do outro... — Nesse momento, minha respiração foi se tornando ofegante à medida que imergia nos olhos negros do Lucas. — Eu sinto que cada momento é infinito. E para mim isso já me deixa feliz o suficiente.

Eu sentia o vapor quente do álcool exalando do seu nariz e da sua boca.

Cada vez mais perto do meu rosto.

Até que seus lábios gelados e secos por fim tocaram suavemente os meus, e eu não estava na mínima condição de ignorar meus impulsos por ele e não beijá-lo naquele momento. Ali, eu não ligava mais para minha viagem ou para a brevidade em que estávamos confinados.

15 de março, décimo terceiro dia.

O relógio em meu pulso marcava meia-noite e meia. Não apenas as luzes da casa da minha tia estavam apagadas, como também as de todo o quarteirão, e a única coisa que nos iluminava eram os postes ao nosso redor.

— Tira o sapato pra não fazer muito barulho — eu disse, ficando descalço antes de abrir a porta que dava acesso aos fundos da casa.

— Você é louco — ele sussurrou enquanto fazia a mesma coisa.

Minha visão estava turva por conta do álcool, e evitar acender as luzes para não acordar ninguém dificultava mais ainda a subida para o meu quarto, porém, após alguns tropeços e risadas abafadas, conseguimos chegar ao nosso destino.

— Vou colocar uma aspirina aqui junto de um copo d'água, tá certo? — disse Lucas.

— Não precisa disso tudo, vou acordar bem — eu disse, tirando minha camisa e calça para me jogar na cama.

— Pera... Você não tá pensando em... — ele perguntou visivelmente constrangido enquanto ainda segurava o copo de água com a aspirina. Eu, razoavelmente embriagado, não ligava muito para a situação.

— Claro que não, idiota! Eu só não vou dormir com essas roupas cheirando a álcool, né? — respondi, puxando-o para perto de mim. — E você, tem certeza de que não quer dormir aqui? Já tá tarde demais para você voltar sozinho para casa, e sei que você bebeu tanto quanto eu.

— Eu consigo me virar sozinho, não se preocupe. E não sei qual justificativa você daria para a sua tia, caso ela viesse aqui de manhã e te visse de cueca dormindo abraçado com outro menino.

Nós dois rimos, imaginando a situação.

— Então, acho que tá na hora de ir — ele complementou e, logo depois, se aproximou do meu rosto, e depois de me encarar por alguns segundos, me deu um beijo carinhoso na testa.

— Boa noite, dorme bem, tá?

— Quando chegar em casa me avisa, prometo que vou estar acordado.

— Se você visse o quanto está bêbado e pronto para cair no sono, duvidaria de si mesmo.

— Ei, obrigado por ter vindo aqui. Eu não tô enxergando direito, mas te garanto que você é o borrão mais lindo que já vi na vida — eu disse. Ele riu enquanto fazia um cafuné no meu cabelo. Eu o ouvi fechando lentamente a porta, porém estava cansado demais para abrir os olhos e vê-lo ir embora.

— Bom dia, rapaz! Na verdade, boa tarde, né? — disse minha tia, sentada numa poltrona e lendo algum livro qualquer ao me ver descendo as escadas quase cambaleando, com o cabelo desgrenhado e olheiras que denunciavam que tinha tido uma noite exaustiva. — Sabia que já são duas e meia da tarde?

— Minha noite foi bem cansativa e só consegui dormir de madrugada, então é meio inevitável eu estar tão acabado — respondi, pegando uma jarra de água na geladeira.

— Mas pelo visto foi maravilhosa, não? — ela complementou. Não sei se ela chegou a ouvir algo, mas só o fato de não entrar no assunto do que aconteceu na noite passada já tranquilizava meu coração, e sim: Foi uma noite incrível.

— Enfim, Pedro. Já se passaram alguns dias, e pelo amor de Deus, não ache que quero você longe daqui ou algo do tipo, mas já pensou em manter algum contato com seus pais? Imagino que ambas as partes devem estar sofrendo com essa distância toda.

Meus pais. Eu já tinha me esquecido do real motivo que me fez vir para tão longe. Um longo e profundo suspiro foi inevitável ao me lembrar de todos esses últimos meses.

— O que me assusta é que seu pai sempre me contava tudo sobre todos os problemas que ele passava, sabe? Mas agora parece que quer fingir que tudo isso nunca existiu, e assim vocês não vão a lugar algum — ela continuou.

— Vai ver é isso que ele quer mesmo.

Dei de ombros.

Minha tia colocou sua mão sobre a minha coxa e deu um suspiro profundo, até que, depois de um tempo de silêncio, se levantou e foi para a cozinha fazer qualquer coisa.

Voltei para o meu quarto e me deitei de volta na cama. Coloquei uma das minhas músicas favoritas do Radiohead e mandei uma mensagem para o Lucas:

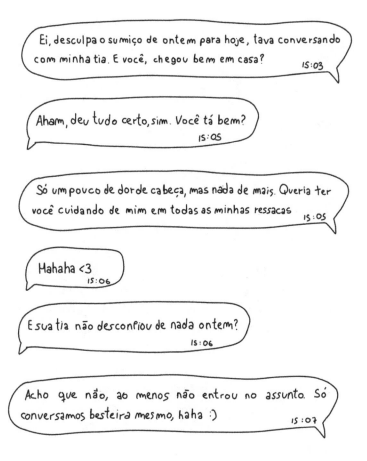

Bloqueei a tela do celular e o coloquei junto ao peito. Até quando evitar o problema ia sustentar essa ilusão de que ele estava resolvido?

16 de março, décimo quarto dia.

Eu e Lucas combinamos de passar a tarde na praia após o seu expediente na cafeteria, e, como ela era um dos principais pontos turísticos da cidade, quando Lucas sugeriu que fôssemos conhecê-la, aceitei a proposta quase que instantaneamente.

Após gastar alguns minutos dentro de um ônibus, finalmente cheguei ao local combinado. Poucas crianças jogavam futebol na areia molhada e os comerciantes que ficavam à beira-mar descansavam em redes para aproveitar o baixo movimento do horário. Lucas chegou alguns minutos depois, em sua bicicleta, usando apenas um short de banho e óculos de sol. Eu nunca tinha visto antes seu corpo sem aquele uniforme de sempre ou uma camisa listrada, e naquele momento reparei no quanto ele realmente era bonito.

— Essa cena que estou vendo é real mesmo? — ele perguntou, assim que terminou de acorrentar a bicicleta numa grade.

— Hã? — perguntei, confuso.

— Você. Numa praia. Não é esquisito demais? — ele ria enquanto me olhava nos olhos. — Sempre que imaginava você numa praia, na minha cabeça eu te via todo arrumadinho e até de moletom, apesar de que essa sua camisa preta, sob esse sol, ainda te mantém fiel à imagem que construí.

Eu dei uma risada com o seu comentário.

— Mas aqui estou eu, não é mesmo? — afirmei enquanto tirava minha blusa e me preparava para entrar no mar.

Eu não me sentia muito confortável estando apenas de shorts, principalmente na frente dele. Ainda travava lutas comigo mesmo para aceitar as pequenas falhas do meu corpo, mas se eu quisesse mudar por completo, a partir dali já precisava tomar atitudes diferentes.

Após deixarmos nossas mochilas em uma barraca, corremos em direção ao mar e pulamos nas ondas que se quebravam nos nossos corpos. Quando eu estava submerso, sentia que tudo passava mais devagar. O silêncio me trazia paz, e senti-lo perto de mim, em meio a tudo isso, era como se fôssemos ficar ali para sempre.

Emergi e abri os olhos, até que alguns segundos depois ele brotou em minha frente, chacoalhando a cabeça para tirar a água do rosto.

— Cuidado comigo! Você tá me molhando todo! — eu disse enquanto tapava meus olhos com a palma da mão, me protegendo da chuva que ele estava causando.

— Eu tô te molhando? Pedro, você tá tomando banho no mar e reclamando que eu tô te molhando? — ele disse enquanto gargalhava e continuava a jogar água em mim.

E foi aí que percebemos o quão próximo estávamos um do outro. Olhei para os lábios dele e senti um magnetismo inevitável me puxando para ainda mais perto. Mas ali eu não podia fazer nada além de observá-lo.

Ficamos na água por quase uma hora. Rindo e nos divertindo em meio às ondas fortes que nos puxavam. E assim que a hora foi passando, a fome nos avisou de que era hora de ir embora e procurar algo para comer, então saímos do mar e fomos para um banheiro desses repletos de cabines para vestirmos uma roupa seca.

Chegando lá, troquei-me rapidamente e saí da minha cabine, mas vendo que o Lucas estava demorando, decidi me apoiar na parede e mexer um pouco no celular.

Alguns minutos se passaram e ele saiu, ainda sem camisa e secando o cabelo com a mão. Ao me ver na sua frente, começou a me encarar de uma forma tão penetrante que eu mal conseguia respirar. Meu corpo tremia à medida que o rosto dele ia se aproximando do meu e sua mão ia deslizando pelo meu pescoço. Eu sentia todas as ondas de minutos atrás me puxando de volta para baixo.

— Pedro? — ele disse, colocando a mão em meu ombro. Dei um pulo e quase caí por conta do susto.

— O que foi? — respondi, ofegante, colocando minha mão em seu ombro para recuperar o fôlego por causa do susto.

— Desculpa por ter te assustado, é que eu já tinha te chamado duas vezes e você não disse nada. O que foi? Tá tudo bem?

— Nada não, eu só estava imerso em meus pensamentos. Você sabe como isso é algo frequente.

Ele deu de ombros.

Saímos do banheiro, mas meu coração ainda saltava de tão acelerado. Ainda me custava acreditar que aquele momento não tinha passado de um devaneio. Acho que minha cabeça tentava me dizer que eu precisava dele mais do que eu imaginava, e isso me irritava cada vez mais.

Pouco tempo após sairmos do vestiário e pegarmos nossas mochilas de volta, dois garotos, depois de nos encararem por alguns minutos, vieram em nossa direção. Eu sentia o medo subindo pelo meu corpo e meu punho se cerrou instantaneamente.

— Lucas? É você mesmo? Faz quanto tempo que a gente não se vê? Seis meses? — Um dos dois disse, apertando a mão do Lucas e dando tapinhas em seu ombro.

Respirei aliviado. Eram apenas conhecidos do Lucas.

Esses instintos de medo tinham se tornado comuns, principalmente quando estávamos juntos, afinal, nunca se sabe o que pode acontecer.

— Acho que desde que ele começou a trabalhar naquela cafeteria e se esqueceu dos outros amigos — o outro complementou com uma risada.

— Ah, que nada. É aquela correria, né? Mas e vocês, como estão?

— Eu tô bem. A gente veio passar nossas férias aqui depois de muito tempo. É engraçado como nada muda, né? As mesmas pessoas nos mesmos lugares. Ainda me lembro de quando vínhamos aqui todo final de semana — disse o primeiro garoto.

— Enfim, me passa teu número que a gente tá pensando em marcar alguma coisa para reunir aquela galera toda, tá?

— Ah, claro! — Lucas respondeu.

Depois de trocarem os números, subimos na bicicleta do Lucas, que ia me dar uma carona de volta para casa.

— É... Pode se afastar um pouquinho? — ele disse, com um tom de desconforto no fundo da voz. Achei estranho, já que sempre andávamos bem próximos um do outro quando ele me dava carona em sua bicicleta. Mas, enfim, evitei pensar muito nisso e afastei meu corpo do dele.

— Quem eram eles? — perguntei, após um breve momento de silêncio.

— Eram amigos meus do ensino médio, eles são irmãos — ele respondeu da maneira mais rápida possível. Eu também preferi não insistir muito no assunto.

17 de março, décimo quinto dia.

Assim como todos os dias, depois de me despedir da Amanda, fui andando em direção à cafeteria, e de lá ouvi a voz do Lucas gargalhando de algo, o que era estranho, já que ele sempre ficava sozinho no começo do expediente.

Chegando lá, vejo duas figuras masculinas sentadas em frente ao balcão de madeira: os mesmos dois garotos do dia anterior.

Quando ouviram o barulho da porta batendo, os três viraram para mim, me analisaram por alguns segundos e depois voltaram a conversar.

— Oi, Lucas!

— Oi, oi — ele disse, agindo da forma mais estranha possível. Principalmente pelo fato de ser a segunda vez que nós quatro estávamos no mesmo lugar e ele ainda não tinha me apresentado aos seus amigos. Qual a diferença entre eles e o Matheus e a Laura? Eu tentava achar um significado para isso tudo. Talvez são só velhos amigos se reencontrando e precisando de um tempo para colocar todo o assunto em dia.

Eu não podia ser um porre e ficar criando mil e uma histórias mirabolantes na minha cabeça. Acho que ele só precisa de espaço mesmo.

Bebi uma xícara de café enquanto os via conversando.

Depois de quase trinta minutos de conversa, eles se despediram e finalmente os dois garotos foram embora. Lucas voltou a enxugar a louça que restava na pia do balcão e provavelmente devia ter esquecido que eu ainda estava lá, esperando para conversar com ele, então decidi não agir passivo-agressivamente, e puxei um assunto.

— Ei, você não vai acreditar, mas eu tava vasculhando as minhas coisas e olha o que eu achei! — disse, enquanto tirava uns rabiscos da minha mochila. Vários tigres eram representados nas poucas folhas de papel.

— Ah, os conceitos iniciais que você me disse? Eles são lindos! E é perceptível que você evoluiu bastante, hein?

— Bem, obrigado! — agradeci, porém no fundo ainda estranhava essa mudança repentina no humor do Lucas.

— Eu estava conversando com esses meus amigos e amanhã eles vão dar uma festa na casa deles, e se você não tiver nada de importante para fazer, o convite tá feito.

Se antes eu estava confuso, esse convite foi o que precisava para eu me perder de vez. Há cinco minutos ele me ignorava e fingia que não me conhecia na frente desses amigos antigos, e agora me chamava para uma festa com eles? Ainda continuei tentando dizer a mim mesmo que era apenas algo da minha cabeça, então fui contra todos os pensamentos duvidosos e aceitei o convite.

Ele sorriu e saiu em direção a uma mesa com uma bandeja repleta de xícaras de café.

18 de março, décimo sexto dia.

Chegando à festa, encontrei o Lucas bebendo com seus amigos da faculdade, e me sentindo intimidado por um ambiente cheio de pessoas diferentes, rapidamente fui me juntar a eles antes de tentar interagir com qualquer outra pessoa.

— É... Este é o Pedro, um amigo meu que veio passar um tempo aqui — disse Lucas, mais concentrado no seu copo de cerveja do que em mim, já que estranhamente não se deu ao trabalho nem de olhar para o lado.

— Prazer — eu disse enquanto cumprimentava um por um e notava que todos eram iguais aos outros. Vestiam a mesma roupa, tinham o mesmo topete raspado nas laterais e falavam sempre dos mesmos assuntos. — Oi, Lucas — falei num tom sarcástico.

Ele me deu um abraço tímido e tapinhas nas costas.

Enfim, passaram-se vinte, trinta minutos e eu já estava exausto. Para o Lucas, a cadeira ao lado dele estava vazia, e isso me doía muito. Sei que ele tinha toda uma imagem para manter perante os amigos, mas eu sentia falta das nossas conversas, e vê-lo fingir que eu era apenas um conhecido que não merecia tanta atenção me dava náuseas. Podíamos estar rindo e falando sobre aliens, plantas ou teorias da conspiração, mas ele de um lado conversava sobre algum time de futebol, e eu, do outro, jogava no celular.

As horas se passaram, a piscina estava cheia e a música estrondava nos carros de som, mas tudo isso teve que parar quando vimos o céu se fechando e a chuva se tornando algo iminente, o que fez todos saírem da área externa e entrarem na casa.

Depois de se certificar de que todos já estavam devidamente abrigados, um dos amigos do Lucas esvaziou a cerveja que restava em uma das garrafas jogadas pela sala e propôs:

— Vamos jogar verdade ou consequência!

Todos se animaram com a proposta.

Uma roda se formou e cerca de doze pessoas participaram da brincadeira, sendo Lucas uma delas, devido a sua popularidade entre os amigos. Eu, como não era muito próximo, acabei assistindo a tudo do sofá.

A garrafa girava e as pessoas bêbadas ao nosso redor trocavam confissões, dançavam vergonhosamente e se beijavam a pedido de quem desafiava, até que finalmente a garrafa parou virada para um dos amigos do Lucas. O sorriso malicioso dele já expressava tudo sobre o que ele viria a dizer.

— Eu vou ser simples e rápido. Lucas, te desafio a beijar a Camila.

Meu coração parou. Ver o Lucas beijar uma menina na minha frente era demais para mim. Apertei o copo descartável que segurava com tanta força que um dos cubos de gelo acabou caindo no chão. As pessoas ao redor gritando *Beija! Beija! Beija!* me ensurdeciam.

— Ué, por que não? — disse Lucas, enquanto ria e andava em direção à sua amiga. Seus amigos vibravam, eufóricos.

Eu não acreditava que essa cena era real. O jeito com que ele pegava o cabelo dela e passava as mãos em sua nuca... tentei conter minhas lágrimas de ódio contra a manga do meu moletom. É só um jogo. E vocês nem têm nada sério, para de ser ridículo, eu dizia a mim mesmo, tentando me convencer de que eu não o amava, mas no fundo sabia que era mentira. E ter me preocupado tanto não adiantou de nada, já que a garrafa girou mais vezes e essa cena se repetiu de novo, e de novo, e de novo. E a cada menina diferente, a vontade de largá-lo ali e nunca mais vê-lo apenas aumentava. Do que adianta amar alguém quando você é só mais um?

Eu sentia nojo dele.

Eu sentia nojo de mim mesmo.

— Você não vai beber nada? — disse Lucas ao se aproximar de mim para pegar mais gelo no freezer. O jogo de verdade ou consequência já tinha acabado e todos estavam sentados na sala, conversando e relembrando de momentos juntos.

— Não, não precisa — respondi furioso, evitando olhá-lo nos olhos.

— O que aconteceu? — ele disse, me puxando para perto. — Não me diga que... Você ficou com raiva daquilo?

— Não, Lucas. Eu não fiquei com raiva daquilo. Fiquei com raiva de mim mesmo por achar que eu era importante pra você. Só isso mesmo. Você me ignora na frente desses seus "amigos", ok, mas beijar todo mundo pra pagar de descolado?

—Ah, não, Pedro. Não começa. Você sabe que eu tô com meus amigos e... Infelizmente as coisas têm que ser assim. Desculpa.

As coisas têm que ser assim.

Essas palavras ecoavam na minha cabeça. Realmente, as coisas tinham que ser assim. Eu já tinha esquecido que, independente de tudo, nós éramos uma bomba-relógio. Uma história que começou sendo construída pelo fim, e sentimento algum mudaria isso.

Eu não sabia o que responder. Fui dando passos para trás, indo em direção à porta.

Virar o rosto foi mais difícil do que imaginei.

Depois de trinta minutos de caminhada que pareceram uma eternidade por conta da chuva forte, cheguei a uma praça no centro da cidade. O vento frio me doía o rosto e deixava meu corpo trêmulo.

Já fazia algumas semanas que, por alguma coincidência absurda, nos esbarramos e você, sorrateiramente, acabou entrando na minha vida. Nossa amizade foi se construindo aos poucos, até que se tornou algo tão lindo que me fazia transbordar de felicidade. Porém, tem um ditado que diz "quanto mais alto, maior será a queda". E eu lembrei dele quando todos os nossos pilares foram demolidos e, pela primeira vez, você me devastou por dentro.

Esta noite é uma das mais frias desde que cheguei aqui. Não por causa da chuva ou algo do tipo, mas por causa do meu medo. Por causa do meu choro, que, por causa do vento frio, fazia doer o meu rosto.

Minha cabeça naquele momento era uma tempestade de sentimentos.

Eu estava devastado por ser deixado de lado tão facilmente.

E, principalmente, estava devastado por ter lembrado que, por mais que eu me esforçasse e te amasse, nunca iria te ter.

Sentado em um dos bancos espalhados pelo local, eu só conseguia chorar. Eu só queria sair dali. Não ver mais o Lucas, não ver mais seus amigos estúpidos, não ver mais ninguém, até que pouco tempo depois ouvi o som de sapatos pisando nas poças de água que se formaram por conta da chuva. Quem quer que fosse, estava andando em minha direção.

— Pedro, desculpa. Fala comigo, por favor.

Era a voz do Lucas. Eu não conseguia manter contato visual. Cerrei meus punhos com tanta força que sentia o atrito das unhas cortando minha pele. Meu coração acelerava num misto de raiva e frustração.

— Vai continuar me ignorando assim? — ele disse. Mas o silêncio era como uma parede entre nós dois. Olhávamos para pontos distintos e inexistentes.

— Eu só não sei se consigo aguentar tudo isso, Lucas. Eu já tenho tantos problemas e não quero que você se torne mais um.

Apesar de ter respondido isso, sabia que eu queria dizer exatamente o contrário. Eu o amava. Muito. As lágrimas e os soluços que acompanharam minha resposta mostravam isso, e talvez tendo entendido a mensagem nas entrelinhas, ele foi lentamente me enlaçando num abraço e me aquecendo, apesar do frio da chuva que nos cercava. E lá ficamos, durante quase meia hora, deixando o contato entre nossos corpos desabafarem tudo o que queríamos dizer um para o outro.

— Desculpa, de verdade. Ultimamente você vem me ajudando com tanta coisa, e eu só sei retribuir sendo um babaca — ele disse enquanto tentava enxugar as lágrimas que se misturavam com a chuva. — Eu não sei o que deu em mim, prometo que não vai acontecer de novo. Desculpa.

Eu não seria covarde de negar a mim mesmo o que existia lá no fundo do meu coração. Aceitei o seu abraço porque entendia mais do que ninguém como era viver reprimindo sentimentos. Como era viver reprimindo a si mesmo. Apesar dele ter me devastado, eu sabia que ninguém era forte o tempo todo, e chorei por lembrar como o mundo é injusto. E se ele quisesse, eu estaria disposto a reerguer tudo de volta. Pilar por pilar.

Ele me apoiou em seus ombros para me ajudar a me levantar daquele banco.

— Pega minhas chaves no meu bolso, por favor. Minha casa é aqui perto, e ficar nesta chuva vai fazer mal pra nós dois — ele disse enquanto caminhávamos em meio à tempestade que tomava conta das ruas.

Às vezes a vida nos afoga, e tudo o que precisamos é de uma mão para nos puxar pra fora do mar.

E eu queria ser essa mão.

Eu tinha que ser essa mão.

Após andarmos por bastante tempo, finalmente chegamos à casa do Lucas, e o ambiente não era muito diferente do que eu tinha imaginado: vasos de plantas espalhados por todo o espaço, livros jogados pelo tapete da sala e uma atmosfera de alguma forma aconchegante, como se toda aquela bagunça, paradoxalmente, harmonizasse a casa.

— Espera aí — disse Lucas, entrando em um dos cômodos. Até que depois de alguns minutos ele voltou com uma toalha. — Pega aqui, é pra você se secar. Você pode deixar teu moletom estirado ali, vai ajudar a secar enquanto a gente espera essa chuva diminuir — ele disse enquanto também tirava a jaqueta.

Vesti as roupas do Lucas, que, por serem bem maiores do que eu, pareciam uma manta em meu corpo, e depois de ambos trocarmos toda a roupa ensopada por uma mais seca, deitamos num colchão que o Lucas colocou na sala e cobrimos nossos corpos com um edredom.

— Eu sei que é difícil organizar todo esse caos dentro da gente, mas te garanto que o tempo que você gastar trabalhando nisso não vai ser usado à toa, afinal, é teu bem-estar — eu disse enquanto movia lentamente minhas mãos entre as mechas do cabelo do Lucas, ainda úmido.

— Você fala dos discursos motivacionais da sua tia, mas você é do mesmo jeito, hein? — ele respondeu em tom de brincadeira. — Mas agora, sério, eu não sei se te disse antes, mas teu coração empático é uma das coisas mais bonitas que já tive o prazer de conhecer, mesmo o tendo comigo por tão pouco tempo. E... Enfim, você já deve estar cansado de saber como sou grato por tudo. E de novo, desculpa por ter sido um idiota.

As palavras do Lucas se misturaram com os seus sentimentos, tornando-se novamente lágrimas e soluços.

— Não precisa chorar. Tá tudo bem — respondi, enxugando uma lágrima que escorria por sua bochecha com meu polegar.

Trocamos um sorriso e nossos olhares se prenderam de novo. Agora não sob aquela situação tensa de horas atrás, esse momento era diferente. Sabe aqueles olhares que não te tocam, mas te fazem sentir abraçado? Aqueles que criam toda uma áurea de ternura ao seu redor e dispensam qualquer palavra de carinho? Esse foi um desses olhares. No meio disso tudo, ele ergueu o corpo num movimento suave e o colocou sobre mim, me olhando diretamente nos olhos e me fazendo sentir sua respiração quente. Pouco a pouco, foi colocando seus lábios junto aos meus, até que os dois se encontrassem e convergissem num beijo.

Inclinando-me devagar contra o chão, sentia sua mão deslizando pelo meu corpo enquanto desabotoava minha camisa, até trocarmos o calor do tecido pelo contato direto dos nossos corpos, que mesmo com o clima ameno trazido pela chuva, estavam suados.

Ali já não se distinguia mais quem era quem. Ali, éramos um só.

— Eu te amo — ele disse com sua voz, que além de ofegante, também palpitava.

Eu também te amo.

19 de março, décimo sétimo dia.

Acordei assustado e num lugar totalmente diferente. Vasos de plantas espalhados pelos cantos, livros jogados ao meu redor e um aroma agradável de... café?

— Bom dia! Vai querer açúcar ou adoçante? — disse Lucas, sorridente, enquanto colocava duas xícaras quentes sobre a mesa da sala.

Antes de dar qualquer resposta, vesti rapidamente minha roupa e corri pra olhar meu celular: dezessete mensagens da minha tia.

— Ela vai me matar — eu disse enquanto me sentava à mesa e pegava minha xícara, já imaginando todas as reclamações que iria aguentar sobre ter ido dormir fora de casa sem avisar.

— Ah, não esquenta a cabeça, diz que tava chovendo muito e que veio dormir na casa do teu amigo — ele disse como se fosse a coisa mais comum do mundo, mas eu conhecia minha tia suficientemente bem para saber que essa história não colaria.

— E os teus amigos, não perguntaram nada sobre teu sumiço da festa? — perguntei enquanto bebia um pouco do líquido que ainda fumegava na xícara.

— Quer saber? Eu nem tô muito preocupado com eles. Tô me sentindo bem melhor assim — ele respondeu, sorridente, me encarando por alguns segundos.

Depois de terminar o café da manhã, ajudar com a louça e me arrumar para ir embora, Lucas veio me acompanhar até a porta para se despedir.

— Se cuida. Tenta me mandar um sinal de vida, pois, caso contrário, vou acreditar na teoria de que sua tia te matou ou algo parecido.

— Tá bom, eu prometo — eu disse, dando uma risada, até que, de repente, ele me segurou pelo braço, me puxou para perto e me deu um beijo de despedida.

— É pra dar sorte. E, também, vai que este seja o último né? — ele disse, acompanhando meu riso.

Ao sair de lá, meu olhar ainda estava fixo naquele pequeno apartamento, de onde eu o via de pijamas, atrás da porta, acenando e esboçando um sorriso tão acolhedor que, mesmo longe, ainda me fazia sentir dentro de um abraço.

Apenas no curto espaço de tempo entre destrancar a porta e dar o primeiro passo para dentro de casa, já fui bombardeado com umas quinze perguntas: *Onde você estava? Por que não respondeu minhas mensagens? Custava avisar?*, além de outras que, por serem ditas consecutivamente, acabaram soando incompreensíveis.

— Tia, quando eu estava voltando, a chuva ficou pesada e, com medo de um resfriado, decidi ir dormir no apartamento daquele meu amigo, o Lucas.

— Olha, se você fizer isso de novo comigo eu... eu... eu nem sei o que faço. Tá me ouvindo? Eu fiquei morta de preocupação. Você sabe que é como um filho pra mim. — Sua voz, pela primeira vez, dispensou o carinho maternal e emanava seriedade. Eu sentia cascudos vindos de seu olhar. — Pedro, eu queria mesmo continuar brigando com você, mas tenho algo mais importante pra dizer no momento... O seu pai me ligou ontem enquanto você tava na casa do seu amigo.

Ela nem parecia mais a mesma mulher que estava me repreendendo duramente minutos antes, pois agora falava num tom cauteloso, como se estivesse escolhendo a dedo cada palavra que saía da sua boca, pois sabia do impacto dessa notícia pra mim, e que dificilmente ele seria positivo.

— Meu... pai?

Ela adivinhou exatamente como eu reagiria. Desde toda a confusão que me trouxe pra cá, eu não falei com ele nem uma vez sequer. Saber o que ele disse podia mudar completamente o meu dia. Ele perguntou por mim? Quis saber se eu estou bem? Quis falar comigo? Essas perguntas martelavam incessantemente na minha cabeça.

— Ele só perguntou como você estava indo, eu senti na voz dele que ele queria falar diretamente contigo, mas acho que o orgulho acabou silenciando tudo.

Eu ainda estava em choque. Olhava ao meu redor, mas me sentia dissociado do ambiente.

— Tia, eu... eu não sei o que dizer, desculpa mesmo. Preciso ir para o meu quarto e pensar um pouco nisso tudo. Perdão.

— Eu sei, meu bem. Entendo como é pesado pra você. Descansa um pouco, sua noite de sono não deve ter sido muito boa, e tenta não se preocupar, você sabe que pode ficar aqui o tempo que quiser, até organizar toda essa turbulência dentro desse coraçãozinho — ela disse enquanto tocava com o indicador o lado esquerdo do meu peito, num gesto de carinho.

Ao chegar ao meu quarto, joguei minha mochila em cima da cama, me deitei ao lado dela e peguei meu celular ao ver que tinha uma mensagem do Lucas.

20 de março, décimo oitavo dia.

Tudo estava escuro.
Olhei ao meu redor,
mas só consegui
ver o mar.

Eu estava deitado
em meu barco,
contemplando
as estrelas,

até que, de repente, senti uma
infiltração no piso de madeira,
quebrando todo o clima
de paz celestial.

Mesmo colocando tábuas
para cobrir os buracos,
a água continuava
subindo pelo piso,

e o estranho é que
ela não estava
ocupando o ambiente,
e sim vindo
atrás de mim,

até que uma hora
eu não tinha mais
para onde correr.

Eu sentia
o rastro
de água
subindo
por
minha pele,

chegando ao
meu rosto

e entrando em mim
pelo nariz
e olhos.

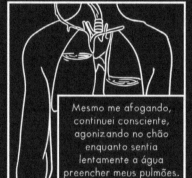

Mesmo me afogando,
continuei consciente,
agonizando no chão
enquanto sentia
lentamente a água
preencher meus pulmões.

"Pedro, já está
na hora de acordar."

uma voz ecoava na escuridão.

De quem era
essa voz?

"Pedro, já está
na hora de acordar."

A voz continuou ecoando,
até que perdi totalmente
a consciência e ela se
tornou apenas um som
incompreensível.

— Pedro, já está na hora de acordar! — disse minha tia enquanto abria as cortinas.

Pulei da cama ofegante e com o corpo trêmulo.

— O que aconteceu? — ela disse, passando a mão na minha testa para ver se eu estava febril.

— Não foi nada, só um pesadelo — respondi, enxugando o suor que escorria do meu rosto.

Na verdade, aquilo estava mais para um aviso.

Já está na hora de acordar.

Vesti qualquer coisa e desci para tomar o café da manhã. Eu tentava mastigar, mas o sonho ainda martelava na minha cabeça, incessante e impiedoso.

— Certeza de que não aconteceu nada? Você tá tão pálido, e seu olhar tá tão distante... Você sabe que pode contar comigo para qualquer coisa, não é? — disse minha tia, acariciando minhas mãos.

O que me incomodava mais era o fato de nem eu saber o que estava acontecendo, e muito menos como lidar com toda essa situação. Eu sentia falta de casa. Sentia falta dos meus pais. Mas lembrar de todo aquele sufoco me causava arrepios, e tudo o que eu queria fazer era desaparecer e só voltar quando todos os meus problemas estivessem resolvidos.

— Só te dou um conselho, cuidado para não deixar esse apego a memórias do passado te impedir de mudar e melhorar o teu futuro, tá? Pensa um pouquinho — ela complementou, se levantando e indo à sala para terminar de ler um livro.

Eu precisava organizar tudo isso na minha cabeça antes de decidir meu próximo passo.

> Ei, você tá livre depois do seu expediente? Eu tô precisando conversar :(
>
> 10:11

Marcamos de nos encontrar no lugar de sempre: o parque que fica próximo da cafeteria. Lucas, antes de qualquer coisa, me deu um longo abraço, desses que dispensam qualquer verbalização de um "tudo vai ficar bem".

— O que aconteceu? — ele perguntou, enquanto deitava a minha cabeça em seu colo.

— A ligação do meu pai. Isso tudo tá revirando sentimentos que eu tinha guardado dentro de mim e trazendo de volta outros que eu tinha dito para mim mesmo que não existiam mais.

Ele suspirou enquanto passava a mão nas mechas do meu cabelo.

— Eu acho engraçado o fato de que todos nós temos uma história tão pesada assim. Como se tivéssemos que enfrentar mil e uma coisas para provar para nós mesmos e todos ao nosso redor quem somos de verdade. Por muito tempo eu tive vergonha da minha história. Na verdade, vergonha de mim mesmo. Mas depois de tudo o que aconteceu, aprendi que ela que me fez forte, e acho que ela talvez possa te ajudar.

Meu nome é Lucas, e tenho oito anos.

Nas aulas de ciências estamos estudando sobre plantas, e eu amo cactos!

Pai, olha o que eu achei! Ela até tem...

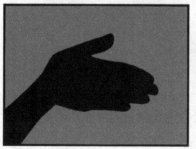

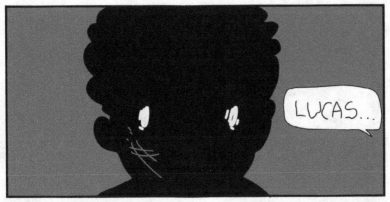

Eu tinha um tio meio estranho, sabe? Ele sofria de uma doença renal. Rins policísticos. É um nome esquisito, mas eram cistos que surgiam em seus rins e que podiam levar à sua perda total após algum tempo. Os recursos aqui não eram tão avançados, e nós não tínhamos muito dinheiro para investir em um tratamento mais sofisticado, então aguentávamos tudo isso na medida do possível.

Algumas pessoas quando estão frágeis buscam refúgio na família, já esse meu tio se afastava mais e mais à medida que seu problema de saúde progredia.

Acho que ele devia se sentir culpado e não queria causar problema para ninguém.

E ninguém entendia realmente o motivo disso.

Minha família sempre faz aquelas reuniões típicas no final de cada ano, e a de dois anos atrás ainda aparece em lampejos aleatórios na minha cabeça. O ambiente é o mais clichê que você possa imaginar quando o tema é reuniões familiares: uma mesa farta com diversos tipos de comida, tios reunidos para falar mal de times de futebol e da política atual do país, e crianças brincando e gritando na sala de estar. A única diferença desse ano para os outros anos é que esse meu tio "esquisitão" finalmente resolveu dar as caras, e esse foi o assunto principal dos cochichos e das fofocas entre as mesas.

Mesmo num ambiente acolhedor, sempre há aquela pessoa que se sente deslocada, e, como sempre, eu acabava recebendo o prêmio de Maior Antissocial da Família. Mas não era culpa minha. Eu realmente me esforçava, mas... Enfim. Dessa vez eu não estava sozinho. Provavelmente devido ao seu longo isolamento e por saber que era secretamente o centro das atenções, meu tio decidiu dividir esse fardo comigo, se sentando no mesmo sofá em que eu estava.

Eu sentia que ele estava buscando qualquer motivo que fosse para puxar assunto comigo, mas nunca fomos muito próximos, então fiquei conversando no celular com uma amiga minha chamada Amanda, uma das únicas pessoas da minha sala que eu ainda suportava.

— Conversando com a namorada para aliviar o tédio? — disse meu tio, tentando se enturmar, assim como eu tinha previsto.

— Não tio, eu não namoro ela — respondi com uma risada desconfortável. — É só uma amiga. E olha, precisaria conversar com mais uns vinte amigos para aliviar o tédio que é este lugar.

Apesar de ele ser bastante calado e se isolar de tudo e de todos, eu meio que o entendia, e até tentei ser amigável com essa tentativa de conversa que ele iniciou. Talvez ele fosse uma versão mais velha de mim e eu não sabia? A autoidentificação me atingiu mais do que o esperado. O problema é que o assunto morreu e o clima de desconforto triplicou. Voltei para o meu celular, e ele continuou olhando para o movimento das crianças brincando de esconde-esconde pela sala. Até que depois de uns trinta minutos de um silêncio constrangedor, ele decidiu falar comigo novamente.

— Ei, você fala inglês?

— Tropeço um pouco em algumas palavras, mas posso me considerar fluente — respondi, curioso para saber a sua intenção com essa pergunta.

— É... Bem. É porque eu tenho uma coisa pra conversar com você.

Ele deu um longo suspiro e parou por alguns segundos, olhando para baixo.

— You don't have to worry. We're the only ones who speak English in this room, so... there's something I wanted to tell you for so long but I never had the chance. I think that in all those years I was trying to ruin from myself, you know? i' not goona lie to you neither to myself, Lucas, but i'm dying. And I know tht I don't have much time left. And... okay, I'll be straight with you. I've always watched you, and besides you being shy and isolated from everyone, I've always seen something inside you that's big. Bigger than they can contain. Bigger than you imagine and deny to yourself. You don't have to lie to yourself like I did. I know that in my case it was something bad but... make your own choices, Lucas. Never listen to what your parents or anybody tell you to be. Be what you want, and above everything, be proud of yourself. I want to talk to you later, but in person. Okay?

— Você não precisa se preocupar. Somos os únicos que falam inglês nesta sala, então, tem algo que eu queria te falar já faz muito tempo, mas nunca tive chance. Eu acho que em todos esses anos eu estava tentando correr de mim mesmo, Lucas, mas eu estou morrendo.

E eu sei que não tenho muito tempo. E... tá, eu vou ser direto com você. Eu sempre te observei, e apesar de você ser tímido e isolado de todos, sempre vi algo em você que é grande. Maior do que eles possam conter. Maior do que você pode imaginar e negar para si mesmo. Você não precisa mentir para si mesmo como eu fiz. Sei que no meu caso era algo ruim, mas... faça suas próprias escolhas, Lucas. Não escute o que seus familiares ou qualquer um te diga pra ser. Seja o que você quiser e, acima de tudo, tenha orgulho de si mesmo. Eu quero falar com você mais tarde, mas pessoalmente, okay?

Eu não tive nenhuma reação para demonstrar nesse momento. Suas palavras foram como um alarme tocando em minha cabeça, me despertando para algo que eu nunca quis durante toda a minha vida. Ele me olhou nos olhos e riu enquanto me via tentando processar tudo. Enquanto eu ainda balbuciava algo e tentava elaborar uma resposta, meu tio pegou sua mochila, uma caixa com alguns docinhos e saiu.

O que ele queria dizer com isso? Será que ele sabia coisas sobre mim que eu mesmo evitava conhecer melhor? *Será que ele sabia coisas sobre mim que eu mesmo evitava conhecer melhor?* Essa pergunta martelava na minha cabeça dia após dia. E eu não me sentia bem com isso, sabe? Todos me diziam que eu era errado, então acabei acatando isso.

E eu tinha medo de estar errado.

De não me encaixar.

Por isso recusei todas as ligações que esse meu tio fez para mim durante esse tempo. Eu não queria aceitar que ele estava certo.

— E o que ele fez? — perguntou Pedro, interrompendo a história, como uma criança curiosa.

— Ele não fez nada, Pedro — respondi, enquanto abaixava a cabeça, provavelmente sentindo todo o peso voltar para as minhas costas. — Sei que vai soar clichê ou uma tragédia típica de algum livro do John Green, mas dois meses atrás ouvi minha mãe falando ao telefone que encontraram ele morto em seu apartamento, e isso me doeu de uma forma que você nem imagina. Eu o ignorei, sabe? E se ele tiver sido a primeira pessoa que conheceu verdadeiramente a minha essência, antes até de mim mesmo?

Talvez eu fosse uma pessoa totalmente diferente hoje em dia.

Às vezes eu me olho no espelho e fico preso nesse ciclo repetitivo de questionamentos introspectivos, e sempre chego nesse ponto. Talvez eu fosse uma pessoa totalmente diferente hoje em dia.

Mas sei lá, olhando para você, no fim das contas talvez tudo aconteceu da forma que realmente deveria acontecer.

4 de março.

Às vezes quando estamos imersos na monotonia de nossas rotinas, acabamos esquecendo de que sempre existe a probabilidade de algo acontecer e virar tudo ao avesso. Eu soube que hoje era um desses dias quando vi alguém entrando ensopado na cafeteria e quebrando todo o clima de paz e silêncio que reinava no local.

— Moço, me dá um café.

Estranhando o fato de ele ter ignorado totalmente o caos que fez no ambiente ao entrar aqui correndo, e até de não me dar um simples "boa tarde", atendi o seu pedido. Que se repetiu de novo. E de novo. E de novo. Até um ponto em que eu achava que ele já não estava mais raciocinando e tudo tinha se tornado automático. Estranhando tudo isso e percebendo que ele não estava se sentindo bem, decidi intervir:

— Moço... é que você entrou muito rápido, e eu não queria me intrometer, mas acho que você tá a ponto de ter alguma overdose de cafeína, então... você quer mesmo que eu encha essa xícara?

Ao ouvir minha voz, ele despertou da confusão pela qual estava passando e decidiu, envergonhado, analisar o entorno.

— Meu nome é Lucas — eu disse, estendendo a mão na direção dele e tentando me mostrar o mais simpático possível. — Qual o seu nome?

— Meu nome é Pedro, prazer.

Seu cabelo estava desgrenhado por conta da chuva lá fora, e seus olhos cansados indicavam que ele não dormia bem havia alguns dias, e todas essas características apenas me deixavam mais curioso.

— Você escreve? Você tem cara de escritor — perguntei, tentando fazê-lo se acalmar e se sentir confortável.

— Olha, eu... eu escrevo algumas coisas, mas não me considero mesmo um escritor... E o que te fez supor que sou um? — ele perguntou, espantado. Mas suas mãos manchadas de tinta, seus olhos de ressaca e sua mochila cheia de manuscritos não enganavam ninguém.

— Seria estranho se você não fosse, já que se encaixa em todos os estereótipos de um.

— Ah, mas eu, sei lá, poderia ser um jornalista, um... um... enfim — ele respondeu, envergonhado.

— E qual o teu escritor favorito? — perguntei, notando que agora ele já se sentia mais confortável.

— Eu gosto do trabalho do Leminski — ele disse, enquanto tirava de dentro da mochila um livro de capa alaranjada e abria em uma das páginas.

Quando eu vi você
tive uma ideia brilhante
foi como se eu olhasse
de dentro de um diamante

e meu olho ganhasse
mil faces num só instante

basta um instante
e você tem amor bastante

Ele terminou de recitar o poema, mas mesmo assim eu ainda estava imerso no jeito com que ele pronunciava cada palavra, como se colocasse um pedacinho de sua alma em cada uma delas.

— O que foi? Você não gosta dele? — ele perguntou, provavelmente estranhando o fato de eu estar olhando estaticamente para seu livro.

— Ah! Não, não! — respondi, envergonhado. — Eu só... bem... Não foi nada. Você vai querer mais uma xícara?

— Acho que já está bom por hoje, afinal, eu preciso dormir, né? — ele disse enquanto sorria timidamente e tirava sua carteira do bolso, pronto para ir embora.

Continuei a enxugar xícaras enquanto o via andando de um jeito meio desengonçado pela rua. Olhei para o banco em que ele estava sentado e percebi que sua mochila ainda estava lá e, sem hesitar, saí correndo em direção à porta, para tentar alcançá-lo e devolvê-la, mas já era tarde demais: eu não fazia ideia de qual rumo ele havia tomado.

Às vezes os dias podem parecer monótonos, mas cuidado: esses são os dias perfeitos para o destino aleatoriamente te empurrar alguém no mínimo curioso. Talvez seja por isso que recebi uma segunda chance de me aproximar dele, caso ele volte aqui para buscar esta mochila?

Ultimamente meus dias se resumem ao percurso da minha casa ao trabalho, e uma amizade nova animaria tudo ao meu redor.

Dei um riso tímido enquanto colocava cuidadosamente uma das xícaras na prateleira.

9 de março.

— **Você realmente me chamou** aqui para arrancar grama do chão? Não sabia que você gostava de brincar de ser um camponês do século XIX — disse Laura, me encarando com um olhar impaciente.

— Deixa de reclamar por um segundo e me ajuda a achar só mais uma — eu disse, arrancando uma flor de um arbusto em minha frente.

Eu sempre fui muito apegado a tradições mágicas, e reza a lenda que se você arrancar sete flores de arbustos diferentes e pular nu por sete cercas, quando colocar as flores embaixo do travesseiro e dormir nele, irá sonhar com um grande amor. Era madrugada e apenas a luz da lua iluminava nossos corpos naquele momento. Como decidimos dormir na casa da Laura e do Matheus, que ficava numa parte mais isolada da cidade, não precisávamos nos preocupar em ser julgados por andar sem roupa no meio da mata.

— Precisa mesmo ser sem roupa? Os espinhos estão me machucando! — Laura continuou a reclamar de longe.

— Só faltam mais duas cercas! — respondi, rindo.

Já em casa e prontos para dormir, eu delicadamente coloquei as flores embaixo do travesseiro e me deitei num colchão do lado da cama da Laura.

— Só você mesmo para aceitar essas propostas sem nexo do Lucas — Matheus disse, sorrindo.

— Vai ver isso ajuda a clarear mais o coraçãozinho confuso desse garoto — ela respondeu, bagunçando meu cabelo com a mão.

Eu estava ansioso pelo que aconteceria no meu sonho. E um rosto me vinha à mente quando eu pensava nisso.

12 de março.

"Passa aqui amanhã para conversarmos. Não precisa se preocupar sobre ontem", eu digitei na caixa de mensagens da minha conversa com Pedro.

Mas isso vai fazê-lo pensar que eu quero que ele esqueça o que aconteceu ontem, ponderei, apagando a mensagem.

"Aparece aqui quando estiver se sentindo bem para conversarmos :)"

...

Não, isso é muito direto. Droga. Pensei enquanto apagava mais uma vez a mensagem. Isso estava mexendo comigo mais do que eu imaginava. Eu sabia que ele não ia aparecer aqui hoje, e temia que as coisas simplesmente acabassem daquele jeito.

Pouco tempo depois ouvi o som da porta de madeira batendo, sinalizando que alguém tinha entrado na cafeteria, mas eu estava tão absorto em meus pensamentos que ignorei e continuei a trabalhar.

— Que cara feia é essa? É assim que você atende seus clientes? — disse uma voz feminina.

Quando prestei atenção para ver quem falava comigo, era a... Amanda?

— Ah! Bom dia! O que... o que você tá fazendo aqui? Você nunca mais apareceu — perguntei, desconfiado.

— Nada, ué, vim só tomar um café. Qual o problema? — ela respondeu, arqueando a sobrancelha de uma forma irônica. — Hoje o Pedro decidiu não vir comigo, aí decidi passar aqui.

—Ah... E ele está bem?

Eu sabia que ela entraria nesse assunto, e isso me fez corar instantaneamente.

— Sim, não se preocupa. Ele só precisa esperar a vergonha passar. *E nós dois sabemos do que eu estou falando.*

— Ah... sim... — respondi, exalando desconforto por meus poros. Esperava ter essa conversa com qualquer um, menos com ela. — Posso escrever um bilhete para ele e você o entrega? Acho que é o mínimo que posso fazer, já que ele visivelmente não quer falar comigo de tanta vergonha.

— Ótimo! E, olha, não precisa se preocupar com ele, vai ficar tudo bem. Ele só é bastante dramático na maioria das vezes, mas tenho certeza que depois disso ele vai ter a motivação necessária para vir falar contigo. Ele não desiste fácil das coisas, se é que você me entende.

Dei um riso tímido enquanto ela me cutucava com o braço.

— E você tem certeza de que ele não vai se chatear com você? Sei lá, não sei se ele vai achar estranho você vir aqui resolver esse assunto diretamente comigo — perguntei, após terminar de escrever o bilhete e guardar minha caneta.

— Olha, se eu for esperar o Pedro parar de reclamar sobre seus problemas e não tomar nenhuma atitude, ele vai embora sem ao menos tentar resolver isso — ela disse enquanto colocava uma nota de dinheiro em cima do balcão e se dirigia à porta. — Ele quer muito ver você. E enfim, você que sabe o que vai fazer com essa informação. Até mais.

Amanda foi embora sem me dar tempo para agradecer, mas, enfim, eu estava feliz pelo Pedro ter alguém assim para cuidar dele.

Coloquei duas xícaras numa bandeja e fui em direção a alguns clientes que me chamavam em sua mesa.

18 de março.

Desde que assumimos o fato inevitável de gostarmos um do outro e aceitarmos passar juntos esse pouco tempo que nos resta, cada dia com o Pedro vinha sendo maravilhoso de um jeito único. Mas desde o dia que reencontrei dois amigos de longa data, tudo voltou a ficar confuso na minha cabeça. Nunca me incomodei em ficar com ele na frente do Matheus e da Laura porque eles já me conheceram como "o novo Lucas", mas esses outros dois... Era como se eu ainda tivesse a necessidade de manter o mesmo papel de antes. E por isso não queria que me vissem com o Pedro. Eu me sentia desconfortável, imaginando como iriam me olhar torto e me hostilizar por saberem que sou gay. Tinha medo de perder mais amizades.

Na festa que eles deram, reencontrei quase todos os meus velhos amigos, e isso me deixava mais nervoso ainda com a presença do Pedro ao meu lado. Queria gritar quem eu realmente era. Queria mostrá-lo e apresentá-lo para cada um que passava, mas lá estava eu, tão covarde que tinha medo até de falar com ele na frente das pessoas. E tudo foi de mal a pior quando decidi beijar outras garotas para provar para as pessoas ao meu redor quem eu não era. Todos gritavam em êxtase, mas eu apenas queria ir ao banheiro e vomitar por horas.

Ver o Pedro quase chorando e indo embora por minha causa foi uma cena que partiu meu coração em milhares de pedaços. Cerrei meus punhos com tanta força que senti as veias de minha mão pulsarem de raiva. Abri minha boca para falar algo enquanto o via ir embora, mas nenhum som saiu. Todo esse meu orgulho criava mais muros em meu coração, e eu estava fazendo o que menos queria: prender o Pedro em um deles. Eu me lembrei de quando o vi pela primeira vez. Lembrei-me daquele dia no parque. Lembrei-me de como foi divertido passar aquela manhã com ele na praia. As lágrimas em meu rosto se tornaram inevitáveis.

— Droga! Pedro... Pedro! Para onde você tá indo?

Não sei se ele estava longe demais para me escutar ou apenas fingindo que não me ouvia, mas a única resposta que tive foi o eco da minha própria voz.

Mesmo no escuro e sem muito rumo, comecei a correr no que eu achava ser a direção que ele estava tomando. A chuva grossa chicoteava minha pele. Meus músculos da perna doíam e meus pulmões latejavam por conta do esforço. Saber que ele estava sofrendo por minha culpa era uma dor que esmagava meu coração. Pois, além dele, quem se importaria comigo a ponto de me estender a mão no meio do caos em que eu vivo?

Ninguém.

Depois de caminhar por alguns metros, vi uma silhueta sentada num banco. Não conseguia enxergar direito por conta da chuva forte que caía sobre nós, mas tinha quase certeza de que era o Pedro.

— Pedro!

Quando gritei, ele olhou rapidamente para trás e eu pude confirmar que era ele. Eu não sabia o que dizer. Os nossos silêncios dançavam junto com o ruído da chuva, e ambos cortavam a minha garganta, buscando por qualquer palavra que fosse.

— Pedro, desculpa. Fala comigo, por favor.

Ele continuou olhando para a frente. Minha voz não foi suficiente nem para fazê-lo olhar em minha direção. Minha boca se abriu, procurando mais palavras para tentar puxá-lo de volta, ou ao menos consertar um pouco da merda que eu tinha feito, mas minha mente não conseguia formular uma frase sequer. Ela estava tão tempestuosa quanto a chuva que caía voraz sobre nós.

— Eu só não sei se consigo aguentar tudo isso, Lucas. Eu já tenho tantos problemas e não quero que você se torne mais um — ele respondeu, tropeçando nas próprias palavras.

Eu que desmoronei tudo o que nos cercava, então não podia ser covarde a ponto de deixá-lo se destruir em meio aos escombros. Corri em sua direção e o puxei para mim no abraço mais sincero que pude dar no momento. Não foi um abraço simplesmente de amor. Foi um abraço de medo. De saudade. Eu não queria que aquilo acontecesse nunca mais.

19 de março.

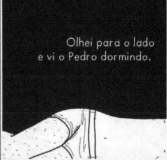

Olhei para o lado
e vi o Pedro dormindo.

Sua expressão de paz e
conforto me fez acariciar
seu rosto por
alguns segundos.

Acordei subitamente
de madrugada,
provavelmente
espirrando por causa
da chuva que
tomei nesta noite.

Eu nunca mais queria tê-lo longe de mim,
mesmo sabendo que esse era nosso fim inevitável.

Levantei-me do colchão e fui tomar alguns remédios para conseguir voltar a dormir.

Olhei de novo para o colchão onde o Pedro dormia.

"O que eu estava buscando quando beijei todas aquelas pessoas?"

Esse pensamento brotou na minha cabeça e me fez suar frio.

O que eu estava buscando quando beijei todas aquelas pessoas?

Será que eu realmente sentia alguma atração por elas

ou estava apenas querendo negar para mim mesmo que eu estava apaixonado pelo Pedro?

Eu já corri demais de mim mesmo.

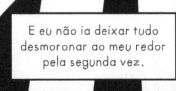

E eu não ia deixar tudo desmoronar ao meu redor pela segunda vez.

Depois de acordarmos e ele se arrumar para ir embora, me preparei para o que sempre era a pior parte disso tudo: as despedidas. Porque eu sabia que só o veria no dia seguinte, e tempo não era uma coisa que tínhamos sobrando.

Eu acenava para o Pedro enquanto o via ficando cada vez mais longe de mim.

Cada vez mais longe.

Quando o vi dobrar a esquina, fechei a porta de casa e fui direto para o meu quarto. E lá as memórias da noite anterior ainda estavam vivas. Peguei o lençol que ele usou para se cobrir e o levei ao nariz, tentando captar cada fragmento do seu cheiro, que ainda estava por todo o lugar. E é estranho como ultimamente tudo fica silencioso no espaço que ele não divide comigo.

Me peguei pensando em como ele estaria agora, se sua tia aceitaria seu breve sumiço numa boa ou infernizaria mais ainda a vida dele, então decidi mandar uma mensagem.

Que depois de dez minutos ainda não tinha resposta.

Mandei outra. Trinta minutos se passaram e nada mudou, até que, quando a preocupação começou a ocupar minha cabeça, recebo uma resposta dele.

Desculpa, mas acho que hoje não.

Essa mensagem atingiu meu peito como uma lâmina. Era óbvio que ele não estava bem, e a culpa era única e exclusivamente minha. Comecei a lembrar de tudo o que passamos juntos, desde o começo conturbado até os breves momentos em que nos encontrávamos.

Será que eu estou valendo a pena para ele?

Ultimamente fui um caos ambulante, e talvez essa mensagem só tenha sido um sinal para eu perceber que ele cansou.

Mas... apesar dos problemas, a noite passada foi tão... agradável. Eu sei que ele gostou. Ele só não está muito bem agora.

As duas vozes brigavam ferozmente em minha cabeça enquanto eu buscava tanto um eixo para me orientar como um jeito de fazer ele se sentir tão especial quanto merece.

Peguei meus fones de ouvido e comecei a ouvir uma das mil músicas que ele me apresentou nesse tempo.

When you're all alone
I will reach for you
When you're feeling low
I will be there too

20 de março, décimo oitavo dia.

Eu sentia como se faltasse pouco para meu coração sair do meu peito. Minhas mãos tremiam e minha perna inquieta denunciava minha ansiedade. Depois de adiar esse momento o máximo que pude, finalmente tomei coragem e decidi ligar para meu pai e tentar resolver isso de vez.

— Sim, pai, sou eu.

Depois de minutos apenas ouvindo a respiração dele, finalmente ele tomou coragem de responder.

— É... O que aconteceu? Você me... ligando.

— Eu só queria conversar com você. Sei que nossos rumos divergiram e que essa distância construiu paredes entre nós. Mas eu não quero viver assim para sempre.

...

Eu sinto falta de casa.

— Já se passou mais da metade de um mês, né? — ele disse, de forma pausada. — Olha. Quer saber? Não quero resolver isso por telefone. Daqui a alguns dias vou aí te buscar e te trazer de volta para casa. E eu te prometo que dessa vez a gente vai conversar e entrar em um consenso. Mas, por favor, volta pra cá.

Suspirei profundamente enquanto ouvia os bipes consecutivos do celular, sinalizando que a chamada tinha acabado.

Eu me sentei no chão segurando o celular e chorei.

Chorei como se as lágrimas fossem carregar toda a angústia que eu guardava no coração.

Tinha dias em que eu sentia que meu coração ia explodir. E pensava que era por conta da ansiedade. Em outros, era por causa do medo. Mas hoje era por causa dos dois.

Todos os dias ao acordar eu repetia o mesmo hábito de olhar a cidade pela janela e ver a imensidão de pessoas para, só assim, não me sentir completamente sozinho. Eu tinha a Marina, a Amanda e principalmente o Lucas. Mas é como se fôssemos feitos de pequenos encaixes.

E eu sempre sentia que estava faltando uma maldita peça.

21 de março, décimo nono dia.

Lucas me encarava enquanto eu permanecia cabisbaixo. Os eventos do dia anterior me deixaram tão desanimado que eu não conseguia puxar nenhum assunto, então me distraía bebendo meu café enquanto olhava o ambiente ao meu redor. Estava feliz por meu pai estar vindo aqui para tentarmos resolver nosso dilema e eu voltar para casa, mas, por outro lado, isso significava que aqueles eram meus últimos momentos com o Lucas, e isso me doía bastante.

— Oh, eu sei que você tá meio abatido, mas tenho a solução ideal pra aliviar esse problema — ele disse, enquanto se abaixava para pegar alguma coisa no armário que ficava embaixo da pia. Depois de quase um minuto, ele ressurge segurando um pote de vidro repleto de azeitonas.

— Um pote de azeitonas? — perguntei, intrigado.

— Exatamente. Um pote de azeitonas — ele respondeu, enquanto abria o pote e arremessava uma delas na boca.

— Mas... Por que você tá fazendo isso? Achei que você as odiasse.

— É, odeio — ele respondeu, enquanto fazia uma cara de nojo. — Mas é pra mostrar que infelizmente uma hora ou outra a gente tem que enfrentar esses problemas imensos até eles irem diminuindo e desaparecerem completamente. Ok que comer azeitonas pra provar isso já é um desafio colossal, mas você entendeu!

Esbocei uma risada enquanto o via cuspindo tudo na pia e colocando o pote de volta no armário. Confesso que aquilo conseguiu dar um alívio nos pensamentos negativos que rondavam minha cabeça.

— Ei, tenho uma proposta pra você amanhã. Mas preciso que me prometa algo — ele disse enquanto enxugava a boca num pano de prato.

— O quê?

— Vai ter que prometer que me ama — ele disse, arqueando a sobrancelha e me encarando com um sorriso irônico.

— Quê? Mas...

— Vai logo! A não ser que você não queira, claro... — Lucas respondeu, desviando o olhar com sua carinha de cão abandonado.

— Mas claro que te amo! Eu só queria saber o motivo disso.

— Então, tá. Não quero desperdiçar meus últimos dias com você, então... — ele se aproximou do meu ouvido e começou a sussurrar — ... vou faltar o dia de amanhã de trabalho pra gente sair junto e aproveitar o máximo de tempo possível. Vai ser nosso segredo.

— Eu não sei se acredito no que você diz... Não costumo confiar em quem come azeitonas.

Ele riu enquanto me dava um leve empurrão.

22 de março, vigésimo dia.

O local que marcamos não era algo muito distante do nosso cotidiano: um clube de cinema. Sempre ouvia Lucas falando dele, mas só hoje tive a oportunidade de conhecê-lo, e o lugar não era muito diferente do que eu tinha imaginado: um espaço minúsculo e aconchegante que exalava um aroma retrô. A arquitetura antiga e o piso de madeira davam todo esse aspecto cult ao ambiente.

— Você já teve algum contato com o cinema francês? — disse Lucas, enquanto olhávamos os pôsteres dos filmes em exibição.

— É... Não — respondi com sinceridade.

— Por quê? A sétima arte nunca te atraiu como a primeira ou a terceira? — ele disse em meio a um riso. — Mas eu acho que você vai gostar deste filme, é um dos meus favoritos.

O lugar não estava tão cheio. Apenas alguns casais de idosos e poucos jovens sentavam às mesas aguardando a sessão começar.

— Você vai querer comer alguma coisa? — Lucas perguntou enquanto olhava para uma vitrine cheia de pipoca. O cheiro tomava conta do local.

— Não sei. — Dei de ombros. — O encontro de hoje é total responsabilidade sua.

Ele respondeu com uma risada.

Depois de alguns minutos de dúvida, pegamos milk-shakes e fomos nos sentar nas poltronas, aguardando o início da sessão.

O filme acabou e eu não podia estar mais arrependido de tê-lo julgado precocemente. Era uma história maravilhosa de um palhaço negro na França e todos os problemas que ele passava por causa da cor de sua pele. Às vezes esse choque de realidade acontece da pior forma para nos lembrar que nosso mundo ainda está imerso em problemas. Parei de andar e o encarei, meio confuso. Ele riu da minha expressão.

— O que houve? — perguntei, ainda sem entender o motivo do riso.

— Nada, não. Tava te olhando andando com esse jeito todo sério — ele respondeu, dando uma risada. — Sabe de que eu me lembrei agora?

— Acho que não. — Dei de ombros.

— Eu tava me lembrando de como a gente se conheceu. E de como você é a pessoa mais esquisita e estranha que já conheci.

Dei um soco de leve no seu ombro enquanto soltava uma gargalhada. Eu me sentia constrangido só de lembrar aquelas coisas.

— E por que você tá retomando isso agora? — perguntei, mais curioso ainda.

— Nada não. É só a nostalgia batendo mesmo.

Depois de voltarmos a caminhar e de mais um breve momento de silêncio, ele continuou:

— Não sei se já te contei, mas naquela época eu tava furioso com todos aqueles desencontros, porque eu era caidinho por você.

— Sério? — respondi, surpreso. — Pois eu jurava que era o contrário. Eu só fazia merda atrás de merda. Já sentia que você ia pedir uma ordem de restrição ou algo do tipo.

Lucas riu, envergonhado.

E não sei se foi coincidência ou proposital, mas nossos braços esbarraram e ele segurou minha mão enquanto caminhávamos.

Olhei para baixo para verificar se era real, e sim: Estávamos de mãos dadas. Eu nunca tinha feito nada assim tão... publicamente. Sentia os olhares das pessoas nos dilacerando. As risadinhas e piadas. Mas a mão dele se encaixava tão perfeitamente na minha que para mim era quase como se fosse um pecado largá-la.

E se alguém fizesse algo conosco?

Meu coração estava disparado, mas, olhando para o Lucas, ele demonstrava não se importar muito, até que entrelaçou seus dedos aos meus num movimento suave e me deu um de seus sorrisos que sempre me acalmavam.

— Não precisa se preocupar, Pedro. Sei lá, eu me sinto tão confortável que poderia andar pra sempre segurando a sua mão. Você confia em mim?

Eu não esperava que isso acontecesse tão subitamente, mas estava em meus planos que meus últimos dias com ele fossem maravilhosos, e quer saber? Dane-se, pois naquele momento percebi o quanto eu estava feliz. Eu não iria calcular meticulosamente cada ação minha em função de reprimir o que sentia.

Não mais.

— Precisa mesmo perguntar?

Apertei com mais força sua mão.

— E aí? — ele perguntou, depois de um tempo.

— Hã?

— Doeu?

— Doeu o quê?

— Segurar a minha mão, né? — ele respondeu, me encarando com um sorriso tímido.

— Eu esperava mais, mas né, deu pro gasto. — Dei de ombros, escondendo um riso.

— Vou te fazer engolir o que disse! — ele respondeu enquanto corria atrás de mim, tentando me pegar pelo braço.

A pequena corrida, além de ter me deixado exausto, nos fez chegar mais rápido no parque em frente a minha casa, então sentamos um pouco nos banquinhos para descansarmos antes de me despedir.

— Lucas, estes são nossos últimos momentos juntos, né? — eu disse, ofegante, enquanto olhávamos as folhas das árvores ao nosso redor caindo devagar, o que era metaforicamente propício na situação em que estávamos.

— Não fica me lembrando disso. Minha cabeça ultimamente tá em constante contagem regressiva — ele respondeu, dando um suspiro profundo enquanto segurava minha mão novamente, como se isso fosse me impedir de ir embora.

— Então quer saber? Tenho uma surpresa pra você: separa um colchão porque hoje vou dormir contigo, mas só se você fizer aquele teu biscoito de canela.

— Você enlouqueceu ou o quê, garoto? — Ele virou para mim num movimento brusco, acompanhado de um olhar desorientado. — Se sua tia souber disso, ela vai surtar, e você sabe bem disso! Se lembra como foi na primeira vez?

— Conversei com ela e ficou tudo certo... bem, na verdade, eu não disse com *muuuitos* detalhes — respondi com um sorriso irônico. — Agora é minha vez de dizer isto: confia em mim, tá?

Ele ainda olhava atordoado para as árvores à nossa frente.

Cheguei em casa e corri para jogar algumas roupas na mochila. Meu celular tocava uma das minhas músicas favoritas, e isso tudo fez desse momento algo mágico:

And I believe
That when we die, we die
So let me love you tonight
Let me love you tonight

Eu não sei se era por causa do momento, mas nunca tinha visto o céu noturno tão negro e tão encantador. Todas as luzes estavam apagadas, e só se ouvia o som tênue do vento vagando por entre as avenidas.

Uma hora da manhã, sussurrei para mim mesmo. Eu nunca tinha feito coisas desse tipo antes, e eu me sentia como se estivesse vivo pela primeira vez, sabe? Precisava mergulhar nesses breves momentos que eu tinha com o Lucas, antes do nosso tempo acabar com todas as oportunidades que me restavam de criar memórias incríveis ao seu lado.

De repente, vejo alguém numa bicicleta se aproximando da casa da minha tia. Era ele. Meu coração palpitava tão forte que eu o sentia só de aproximar minha mão do meu peito. Peguei minhas chaves, desci as escadas do jeito mais silencioso possível, até que finalmente saí de casa.

— Sobe aqui na garupa — ele disse, me ajudando a me estabilizar na sua bicicleta, já que minha mochila cheia de roupas e travesseiros dificultava o equilíbrio. Quando tudo estava pronto, ele me encarou fixamente e deu um sorriso que já dizia tudo o que ele queria falar.

— Vamos? — ele disse, ainda sorridente.

— Ainda não sei o que você tá esperando! — respondi.

Enquanto ele acelerava em direção a sua casa, eu sentia tudo ao meu redor, como se estivesse imerso num universo só meu. Na verdade, *só nosso*. Eu sentia o vento acariciando meu rosto. Sentia o coração dele batendo enquanto eu o abraçava para manter o equilíbrio. Sentia coisas que nunca havia sentido antes: todas as cores ao meu redor eram mais vivas, e eu só conseguia sorrir ao pensar em como era bom finalmente me sentir vivo.

ei;

nem te vi chegar do nada,
criar morada ao meu lado,
me pegar em desaviso,
afrouxar o meu sorriso
e me deixar apaixonado.

Quando abri os olhos novamente, já estávamos na rua de sua casa.

— Vem cá — ele disse, enquanto cuidadosamente me ajudava a descer da bicicleta.

Tentei disfarçar a ansiedade que me sufocava com meu melhor sorriso.

Apesar de já conhecer bem aquele lugar apertado e repleto de plantas sobre as cômodas, o ambiente ainda me enchia de curiosidade e aconchego, como se nenhum detalhe tivesse mudado desde a última vez que estive aqui.

— Quer tirar o moletom? Vou ligar o aquecedor, então não sei se vai ficar muito confortável.

— Nesse caso, pode ser — respondi, tirando meus sapatos na entrada.

— Então, deixa naquela cadeira ali, ó — ele disse, enquanto tirava a camisa e a calça, colocando-as na cômoda que indicou.

— Pera... Você vai ficar só de cueca? — Meu rosto estava queimando de tanta vergonha. Estava estampado em meu rosto que eu não sabia como lidar com aquela situação.

— Vou, ué. E por acaso tem algo aqui que você ainda não tenha visto?

Ele abriu um sorriso de canto de boca enquanto me encarava de um jeito engraçado.

Ri, dando de ombros, pois era verdade. Nesse pouco tempo já tínhamos desenvolvido uma intimidade quase inexplicável, e perceber isso levou toda a minha vergonha para longe.

Depois de nos acomodarmos, fomos para o quarto dele e deitamos nos colchões espalhados pelo lugar, assistindo ao filme favorito do Lucas, *Beleza americana* (era a oitava vez que ele assistia). Puxei um lençol que estava perto de nós para cima dos nossos corpos, que naquele momento estavam o mais próximo um do outro do que a física permitia.

Não sei se era por conta do aquecedor, mas Lucas emanava uma aura morna, e isso me imergia num sentimento de conforto profundo, sabe? Como se eu não sentisse a mínima vontade de sair daquele lugar. Ficamos ali deitados, e a sensação é de que por mais que o tempo corresse contra nós, eu me sentia em paz. Em meio a tantos abraços, sentia que aquele era diferente dos outros. Estávamos ali por alguma razão, seja por destino ou só por um monte de coincidências acumuladas, seja por estarmos no local certo e na hora certa. A única sorte que tínhamos naquele momento não era apenas o fato de termos nos conhecido, e sim de sermos exatamente a pessoa que o outro precisava nesse momento tão singular das nossas vidas.

E eu não conseguia sentir nada além de gratidão.

— *Ei, tá acordado?*
— *Tô sim, que foi?*
— *Nada não*
— *...Tá né.*
— *Tô brincando, te amo.*
— *Também te amo, vem cá.*
...
— *É esquisito falar isso né?*
— *Bastante... Mas te amo mesmo assim.*
— *Tá vendo? Uma hora fica natural.*

23 de março, vigésimo primeiro dia.

— **Você é muito idiota** — falei ao acordar e perceber que Lucas estava com o rosto colado ao meu, provavelmente me olhando dormir há um bom tempo.

— Nossa, eu não sabia que você era tão carinhoso de manhã — ele respondeu, jogando uma almofada no meu rosto.

— Bom dia pra você também!

Revidei com outra almofadada, e gargalhamos em meio a essa miniguerra.

— Ei, eu tô com fome. Tem uma padaria aqui perto. Quer ir lá comer alguma coisa?

— Nada disso — respondi, acenando negativamente com a cabeça. — Hoje vou cozinhar para você.

— Você? — ele respondeu com um riso irônico. — Assim, eu tava a fim de algo comestível...

— Não enche o meu saco, vai — revidei o comentário sarcástico com mais um ataque de almofadas. — Para sua informação, eu sei fazer algumas coisas. Fora que você não deve ter um bom gosto, já que até agora continua comigo...

Ele me prendeu em seus braços e gargalhamos enquanto rolávamos pelo colchão.

Depois de nos recuperarmos, Lucas deitou-se sobre mim. Vê-lo assim, tão de perto, me fez perceber cada pequeno detalhe seu. O pequeno diastema nos seus dentes da frente que o fazia ter vergonha de dar um sorriso largo (e eu achava a coisa mais fofa desse mundo), seu projeto de barba que crescia ao redor de seu rosto, e até os cachos do seu cabelo ondulado que parecia um oceano negro e feroz.

O problema foi pensar em como eu amava cada detalhe dele e como também ia sentir falta de tudo isso.

— Bem... você quer assistir a algum filme? — perguntou Lucas, visivelmente entediado e ainda sonolento.

— Não tô com muita vontade de assistir filme, fora que daqui a pouco assistir a filmes vai ser a única coisa que teremos feito nesse tempo — respondi tão entediado quanto ele.

— Fora que preciso voltar pra casa ou minha tia me mata de vez, então acho melhor eu ir indo.

— Espera — ele disse, segurando minha mão.

— O que houve? — respondi, assustado.

— Não sei se você se lembra, mas é o teu último dia aqui, e eu não queria que as coisas acabassem assim.

O tom triste de sua voz foi como um baque que me acordou para a realidade e criou um clima pesado no ambiente. Ele afrouxou mais a mão, mas mesmo assim ainda estava me impedindo de ir embora.

— Calma, ainda vamos nos ver hoje. Não é como se eu fosse embora para sempre.

— Você promete que a gente vai se ver amanhã, né? — ele disse, dando um sorriso tão tímido que foi quase imperceptível.

— Você acha mesmo que eu não ia me despedir dignamente de você? — respondi, bagunçando os cachos de seu cabelo.

Não é como se eu fosse embora para sempre.

Essas palavras ecoavam na minha cabeça. Principalmente porque eu sabia que depois de hoje o nosso futuro era uma estrada tão sinuosa que eu realmente considerava este o nosso último dia juntos. Mentir para mim mesmo doía mais que a despedida em si. Então, para aliviar o clima pesado, puxei sua cabeça em minha direção e dei o beijo mais forte que pude dar, mesmo estando extremamente sonolento.

— Tá, você me convenceu — ele disse, rolando de volta para o meu lado na cama.

24 de março, vigésimo segundo dia.

Marcamos de nosso último encontro ser no parque em que saímos pela primeira vez, e acho que isso tudo dava um sentido mais especial para o que seria nosso último dia juntos.

Lucas, depois de limpar os restos de areia do balanço, sentou ao meu lado, se balançando lentamente. Nossos olhos estavam fixos no movimento repetitivo e hipnotizante das nossas pernas flutuando no ar. Uma árvore ao nosso lado produzia um ruído agradável com o atrito do vento em suas folhas.

— Trouxe algo para você — eu disse, enquanto tirava uma caixinha do bolso.

— Por favor, que não tenha uma aliança de casamento aqui dentro — ele disse, rindo.

Dei um soco leve em seu ombro.

— Um MP3 e um bonsai? — ele perguntou, ao abrir a caixa.

— Exatamente. Esse MP3 tá cheio das minhas músicas favoritas, e acho que muitas delas falam melhor por mim do que eu conseguiria expressar, e bem, o bonsai é para você continuar cuidando de mim mesmo de longe.

Ele encarou a caixa ainda aberta por alguns minutos, em silêncio.

— Eu sei que você tá querendo dizer algo — eu disse. — O que houve?

— Você já me conhece bem, né? — ele disse, esboçando um sorriso. — É medo.

— Medo?... De quê?

— De tudo, Pedro. Do desconhecido, do futuro, enfim... nem sei mais o que eu tô sentindo. É medo do...

— Mas por que ter medo disso? Não é como se você não pudesse fazer nada a respeito. Você é uma pessoa incrível e que já passou por vários momentos ruins, e sei que isso te tornou mais forte. O amor muitas vezes não é só sobre pontos de partida e pontos de chegada.

— Eu sei, mas sei lá. Não é disso de que eu tenho medo.

— Então, do que é? — perguntei, parando o balanço para poder encará-lo com mais cuidado.

Num movimento quase natural, ele prendeu seu dedo mindinho no meu.

— *"Quando eu vi você, tive uma ideia brilhante..."*

Paramos de nos balançar por um momento. Apoiei minha cabeça no ombro dele enquanto ainda segurava seu mindinho. Senti duas lágrimas passando por entre meu cabelo.

— O céu tá lindo. Tá na minha cor favorita — eu disse, olhando para as nuvens que se desfaziam a cada minuto.

Basta um instante e você tem amor bastante.

Enquanto aproveitávamos aquele último momento juntos, senti uma leve vibração no bolso. Era uma mensagem do meu pai. "Já estou chegando aí, ok?"

Olhei para meu celular. *Ah, não*, foi a primeira coisa que veio à minha mente. Aquele momento que eu temia e que sempre parecia tão distante finalmente tinha chegado. Segurei meu celular com a mesma força que eu estava usando para tentar conter uma lágrima que insistia em cair, até que senti o calor do corpo de Lucas me envolvendo.

— Eu até queria ficar triste por hoje, mas saber que tudo tá dando certo para você já me deixa tão feliz que a única coisa que consigo sentir é orgulho. Vai lá, eu confio em você — ele disse, me envolvendo em seu abraço com mais força. — Tchau, e quando chegar, me avisa sobre tudo. Vou estar te esperando! — ele completou, depois de me soltar e me ajudar a descer do balanço. — Te amo.

— Ah, também pega este papelzinho aqui. Lê só quando chegar em casa. E te amo também. Vou sentir saudade.

Eu não sabia se existia possibilidade de um "Até logo" no meio do nosso "Adeus".

"Chego em cinco minutos", respondi pro meu pai.

epílogo

Bem, desculpa se eu não sou tão bom assim com despedidas.
Pra ser sincero, sempre tive medo do fim, principalmente em
um relacionamento, em que pessoas costumam colocar pon-
tos-finais quando cortam seus laços próximos.
Um pra cá e um pra lá.
Seguindo caminhos divergentes.
Eu sei que é difícil. Eu não queria ter que ir para longe e
te ver ficando aqui. Queria ver mais dezenas de filmes contigo,
beber centenas de cafés contigo e ainda te dar milhares de
beijos, mas pela primeira vez eu sinto que uma despedida não
é um sinônimo de ponto-final.
Quando você chegou, eu aprendi que um para sempre não
necessariamente dura uma eternidade. Você me fez abrir os
olhos para um mundo totalmente novo, e nesse novo universo
comecei a aprender várias coisas sobre mim que eu não sabia.
Eu ainda me lembro de quando nos encontramos cheios
de cicatrizes e machucados que a vida nos dá, mas mesmo
assim ficamos juntos, cuidando de cada ferida um do outro. E

eu te agradeço por ter ficado. Você me ajudou a colocar ordem nessa bagunça que eu tinha dentro do meu coração e transformá-lo num lugar lindo.

Não sei se você será um dos visitantes que ainda passarão por ele, mas se por alguma ironia do destino nos esbarrarmos novamente, serei infinitamente grato de te fazer inquilino.

Kaukokaipuu.
Pedro.

Ei, moço, você esqueceu seu moletom aqui.

Quando percebi, até pensei em te enviá-lo de volta

Mas dele saía um cheiro tão gostoso que me fez parar.

Senti-lo

e até vesti-lo.

Você foi embora, mas eu tinha medo mesmo era de que você me tirasse o moletom.

Não leva ele não.

Seu moletom é meu conforto.

Seu moletom é meu amparo.

Minha única lembrança palpável.

ei, obrigado
por ter esquecido
seu moletom.

Você pode não saber
disso, mas ainda
vai continuar me
fazendo bem.

Esquece mais
moletons
por aí,

quem sabe
outros corações

ficam tão
coloridos
quanto o
meu ficou.

Agradecimentos

Eu sempre fui uma pessoa muito fechada, e acho que me envolver com a arte foi uma válvula de escape que encontrei para conseguir colocar para fora aquilo que sempre tive dificuldade de expressar. A criação da página/personagem Moletom no Facebook foi um passo muito importante na descoberta de quem eu sou e do que quero falar para o mundo. Conceber uma história baseada em um momento tão importante da minha vida através das minhas próprias palavras foi uma experiência incrível, e por isso agradeço muito a todos os meus amigos e familiares que sempre acreditaram em mim (e me deram puxões de orelha quando mereci, claro.)

Higor e Felipi, obrigado por colocarem um pedacinho de vocês nesse enorme quebra-cabeça.

Gabriel, obrigado por todos os momentos bons. Sempre vou carregar comigo um sentimento de gratidão enorme por você.